Kommission für Allgemeine und Vergleichende Archäologie
des Deutschen Archäologischen Instituts Bonn

AVA-Materialien

Band 25

Materialien zur
Allgemeinen und Vergleichenden Archäologie

Band 25

Das Gräberfeld der hunno-sarmatischen Zeit von Kokėl', Tuva, Süd-Sibirien

Unter Zugrundelegung der Fundvorlage von
S. I. Vajnštejn und V. P. D'jakonova

dargestellt von

Roman Kenk

Verlag C.H. Beck · München 1984

Mit zahlreichen Abbildungen

ISSN 0176-7496

ISBN 3 406 30826 0

Vorwort

Das von S.I. Vajnštejn und V.P. D'jakonova untersuchte Gräberfeld Kokėl' wurde von den beiden Ausgräbern in Band 2 und 3 der Trudy Tuvinskoj kompleksnoj archeologo-ėtnografičeskoj ėkspedicii (Arbeiten der Tuvinischen Komplexen Archäologisch-Ethnographischen Expedition) veröffentlicht. Ihr Grabungsbericht zu diesem bedeutsamen Fundkomplex beschränkt sich wohl deshalb im wesentlichen auf eine minutiöse Beschreibung der Befunde, weil er als Vorstufe einer eingehenden Abhandlung gedacht war; diese ist indes bisher nicht erschienen. Daher erscheint es angebracht, im folgenden auf Fragen näher einzugehen, die sich aus dem Grabungsbericht ergeben. Die von den Verfassern größtenteils nach Gegenstandsgruppen abgebildeten Funde werden zu geschlossenen Inventaren zusammengestellt und in Listenform aufbereitet (Liste 2). Alle relevanten Angaben zu den einzelnen Grabformen und zur Bestattungsweise wurden ebenso listenmäßig erfaßt (Liste 1), die systematischen Analysen dazu im Textteil vorgenommen. Von einem Katalog wurde abgesehen; die Listen bieten dafür einen gewissen Ersatz. Lediglich Fundlage und Einzelheiten des Grabbaues werden nicht in Listenform dargestellt, doch im Text in den Abschnitten „Bestattungsweise" und „Beigabenausstattung" eingehend behandelt. Außerdem sei noch auf die Konkordanzliste zum Originaltext verwiesen. Die Gräber werden im Abbildungsteil und in allen Listen mit denselben laufenden Nummern vorgestellt.

Alle Abbildungen der Grabinventare und zur Bestattungsweise sind dem Originalbericht entnommen.

Aus dem Grabungsbericht ließ sich eine Reihe von Aufschlüssen ableiten. Es konnten u.a.

— eine grobe relative Chronologie erstellt werden, wobei die Belegungsdauer des šurmakzeitlichen Gräberfeldes auf weniger als die Hälfte der von den Ausgräbern angenommenen Zeit, auf drei Jahrhunderte (2. Jh. vor bis 1. Jh. nach Chr.), begrenzt,

— eine zeitliche Differenzierung der Großkurgane vorgenommen,

— räumliche und zeitliche Bezüge zu anderen Kulturen erweitert,

— die einzelnen Großkurgane als Begräbnisstätten von Sippen gedeutet und

— auf statistischem Wege mit an Sicherheit grenzender Wahrscheinlichkeit

Kindesmord zwecks Herabsetzung des weiblichen Bevölkerungsteiles nachgewiesen werden.

Die Kommission für Allgemeine und Vergleichende Archäologie regte diese
Arbeit an und betreute die Drucklegung, wofür ich ihr Dank sagen möchte.
Ebenso fühle ich mich der Deutschen Forschungsgemeinschaft zu Dank verbun-
den, die durch Gewährung einer Sachbeihilfe 1982/83 die Voraussetzung für die
Anfertigung der Arbeit schuf. Die Zusammenstellung der Abbildungen sowie
die Zeichnung der Karten werden Herrn G. Endlich verdankt.

Gießen, Sommer 1984   R. K.

Inhalt

Einleitung

Das Gräberfeld Kokėl' liegt im Gebiet von Sut-Chol in West-Tuva auf einem Plateau am Fuß des Berges Iškin-Arazy westlich vom Aldy-Iškin, einem Nebenfluß des Chemčik. Es wird im Norden durch eine tiefe Schlucht abgeschlossen, im Osten und Süden von den Flußauen des Aldy-Iškin, im Westen durch die steilen Hänge des Iškin-Arazy abgegrenzt (Abb. 1 und 54).

Die Nekropole wurde von S.I. Vajnštejn und V.P. D'jakonova im Rahmen der Tuvinischen Komplexen Archäologisch-Ethnographischen Expedition der Akademie der Wissenschaften der UdSSR untersucht. Die Ausgrabungen erstreckten sich über die Jahre 1959—1960, 1962—1963 und 1965—1966 und erbrachten neben den Zeugnissen aus hunno-sarmatischer Zeit,[1] die den weitaus überwiegenden Anteil der Funde ausmachen, sechs Gräber der skythischen,[2] acht Kurgane und vier Einfriedungen aus alttürkischer Zeit[3] sowie einige neuzeitliche Bestattungen, die bis ins 19. Jahrhundert reichen.

In Kokėl' tritt der Fundstoff aus hunno-sarmatischer Zeit durch seinen hohen Anteil am gesamten Fundbestand und seine zeitliche Geschlossenheit in den Vordergrund. Es bestehen auch keine Anzeichen für eine Verbindung mit Materialien der früheren oder einer Kontinuität zur nachfolgenden alttürkischen Zeit.[4] Deshalb werden die Zeugnisse früherer und späterer Zeitstellung aus unseren Betrachtungen ausgeklammert.

Die Hauptbelegungszeit von Kokėl' fällt in den zeitlichen Rahmen der von L.R. Kyzlasov[5] 1958 als Hunno-Šurmak-Epoche bezeichneten Šurmak-Kultur, die die Zeitspanne vom 2. Jahrhundert v. bis in das 5. Jahrhundert n. Chr. umfaßt und von ihm in einen älteren (2. Jahrhundert v. bis 1. Jahrhundert

---

[1] S.I. Vajnštejn/V.P. D'jakonova, in: Trudy Tuvinskoj kompleksnoj archeologo-ėtnografičeskoj ėkspedicii 2 (1966) 185—291; Vajnštejn, ebd. 3 (1970) 7—79; D'jakonova ebd. 80—209; dies., ebd. 210—238.

[2] Vajnštejn (Anm. 1) 2 (1966) 157—164. Kurgane 15, 16, 33, 48 und 51; ders., (Anm. 1) 3 (1970) 25—27. Grab XVI im Großkurgan 26.

[3] Vajnštejn (Anm. 1) 2 (1966) 294—311; 313—318.

[4] Funde aus alttürkischer Zeit bereits abgehandelt in: R. Kenk, Frühmittelalterliche Grabfunde aus West-Tuva. AVA-Materialien 4 (1982).

[5] Drevnjaja Tuva (1979) 80.

n. Chr.) und einen jüngeren Abschnitt (2.—5. Jahrhundert n. Chr.) unterteilt wird.[6] Das Erscheinungsbild der šurmakzeitlichen (= hunno-sarmatenzeitlichen) Funde in Kokėl' setzt sich nach Grabformen und beim Gegenstand- und Typenspektrum von skythenzeitlichen Materialien (Ujuk-Kultur nach Kyzlasov) deutlich ab, wie sie außer durch die sechs skythenzeitlichen Gräber in Kokėl' selbst auch vom nordwestmongolischen in unmittelbarer Nachbarschaft Tuvas gelegenen Gräberfeld von Ulangom[7] repräsentiert werden. Sind es in Ulangom, das von den Verfassern in das 5.—3. Jahrhundert datiert wird, fast quadratische Holzkammern, in der Regel mit mehreren Bestattungen, und Steinkisten mit Bestattungen in Hockerlage, so handelt es sich bei den hunno-sarmatenzeitlichen Gräbern in Kokėl' fast ausnahmslos um Bestattungen in ausgestreckter Rückenlage auf rechteckigen Holzunterlagen, die mit einer steinernen Aufschüttung in Kurganform abgedeckt sind. Zudem fehlen im šurmakzeitlichen Material Kokėl's die in Ulangom gut vertretenen Streitpickel und Dolchformen sowie dreiflügelige bronzene „skythische" Pfeilspitzen. Diese werden in Kokėl' während der hunno-sarmatischen Zeit von dreiflügeligen eisernen „hunnischen" abgelöst. Auch die Sitte, ganze Metallspiegel ins Grab zu legen, wird durch die Beigabe von Spiegelfragmenten, wohl in Amulettfunktion, ersetzt u.a.m. Dafür treten im šurmakzeitlichen Kokėl' neue Fundgattungen in Erscheinung, wie hölzerne Waffenmodelle als Ritualnachbildungen oder, in Frauengräbern, Holzbehälter in Schachtelform mit Garnituren von Miniaturgerätschaften. Auch die Formen der Keramik sind unterschiedlich. Verursacht werden diese Veränderungen durch die Ausdehnung des Machtbereiches der Hunnen (Hsiung-nu), der um das Jahr 201 v. Chr. auch das Gebiet Tuvas einschloß.[8] Allerdings scheinen sich diese Geschehnisse kaum auf die Zusammensetzung der Population von Tuva ausgewirkt zu haben; seit dem Beginn der hunnischen Zeit nimmt in Tuva der Anteil europider Schädel sogar zu. Nach K. Jettmar[9] könnte das darauf hinweisen, daß ein Teil der Einwohner des Steppenraumes unter hunnischem Druck in das unwirtliche Gebiet Tuvas auswich. Damit stimmt auch die Feststellung Kyzlasovs überein, wonach in Tuva nur eine geringe Zahl hunnischer Funde aus dem älteren Abschnitt der Šurmakzeit bekannt ist.[10]

---

[6] Vajnštejn und D'jakonova benützen für die Šurmak-Kultur den Begriff Syyn-Čjurek-Kultur. Vgl. dazu Vajnštejn/D'jakonova (Anm. 1) 2 (1966) 186, Anm. 6.

[7] E.A. Novgorodova u.a., Ulangom. Ein skythenzeitliches Gräberfeld in der Mongolei. Asiat. Forschungen 76 (1982).

[8] Kyzlasov (Anm. 5) 79.

[9] Die frühen Steppenvölker. Kunst der Welt (1980) 173.

[10] Kyzlasov (Anm. 5) 84.

Mit der Entstehung des Ersten Alttürkischen Khaganats im Jahre 552 n. Chr. und der Einverleibung Tuvas 555 verändert sich auch das archäologische Bild in mancherlei Hinsicht. Als Grabform werden zwar die Steinkurgane beibehalten, doch werden in ihnen neben Körperbestattungen von Menschen oft auch gesattelte und geschirrte Pferde mit beigesetzt. Während der Šurmakzeit kamen nur gelegentlich Pferdeschädel oder einzelne Schirrungsteile, vorwiegend Trensengebisse, als Beigabe vor. In der alttürkischen Zeit finden sich in Tuva zum ersten Mal auch Steigbügel. Eine Neuerung bei den Grabformen zeichnet sich im Aufkommen von steinernen Einfriedungen ab, einer Sepulkralform, die für große Bereiche des alttürkischen Siedlungsgebietes charakteristisch ist. In der alttürkischen Zeit nimmt die Beigabe von Keramik nicht nur merklich ab, sondern anstelle der gutgeformten, teilweise geglätteten oder verzierten Gefäße der Šurmakzeit treten grobe unverzierte Gefäße. Auch andere Fundgattungen unterliegen Formveränderungen. Ein Element der Kontinuität zur vorhergehenden Zeit bleibt indes bestehen: bei Bestattungen kommt weiterhin Holz zur Verwendung, und Tote werden im Grab zuweilen auf Holzbretter gebettet.

Die šurmakzeitlichen Gräber von Kokėl' setzen sich in ihrem Erscheinungsbild sowohl von jenen der Ujuk- als auch von jenen der in der Mitte des 6. Jahrhunderts n. Chr. beginnenden alttürkischen Zeit deutlich ab. Kokėl' stellt als die einzige zusammenhängend veröffentlichte Nekropole der Šurmakzeit in Tuva das bislang geeignetste Objekt für Analysen dieses Zeitabschnittes dar, wobei allerdings auch hier der Aussage klare Grenzen gesetzt sind. Dies trifft vor allem für die Zeitspanne seiner Benutzung zu, die zwar in den allgemeinen Rahmen der Šurmakzeit gestellt werden kann, sie aber mit Sicherheit nicht ausfüllt. Gegen eine lange Dauer der šurmakzeitlichen Belegung spricht der geringe Typenwandel einzelner Fundgattungen, der zwar eine Aufteilung in Älteres und Jüngeres zuläßt, bei dem sich aber keine klaren Entwicklungsstufen, höchstens Entwicklungstendenzen herausarbeiten lassen. Erschwert wird die chronologische Beurteilung durch den Mangel zeitbestimmend aussagekräftiger Funde wie Münzen.

Die untersuchten Gräber der hunno-sarmatischen (Šurmak-) Zeit von Kokėl' verteilen sich auf 5 Großkurgane, 18 kleinere Kurgane mit bis zu neun Gräbern, 24 Einzelkurgane mit je einem Grab und 3 Flachgräber. Vorausgeschickt werden muß der grundsätzliche Unterschied von Doppel- und Mehrfachbestattungen gegenüber Gräbern mit zwei oder mehr Bestattungen insofern, als erstere nach der Lage der Skelette im Grab und den Beigaben gemeinsame Merkmale aufweisen, während bei Bestattungen von mehr als einem Toten in einem Grab deutliche Trennungen nach Lage und Beigaben erkennbar sind. Der hohe Anteil

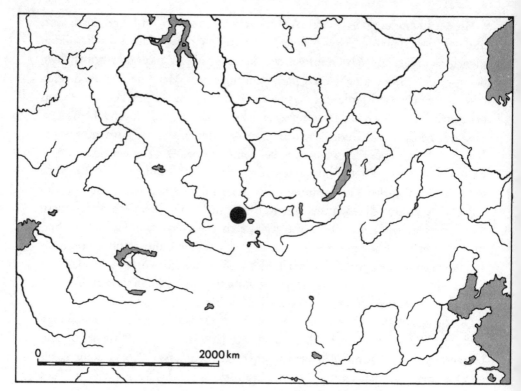

Abb. 1. Lage des Gräberfeldes Kokêl'.

solcher Bestattungen von mehr als einem Toten in einem Grab ist wohl durch die Schwierigkeiten der Aushebung von Grabgruben und die klimatischen Verhältnisse bedingt, die eine Beerdigung nicht zu jeder Zeit zuließen. Zu denken wäre aber auch an Erscheinungen wie Epidemien, die innerhalb kurzer Zeit erhöhte Sterblichkeit mit sich brachten.

	Zahl der Grabeinheiten	Zahl der Beigesetzten
Großkurgan 11:		
Gräber mit 1 Bestattung	105	105
Gräber mit 2 Bestattungen	19	38
Gräber mit 3 Bestattungen	5	15
Gräber mit 4 Bestattungen	2	8
Doppelbestattungen	8	16
Kenotaphe	2	0
	141	182
Großkurgan 26:		
Gräber mit 1 Bestattung	37	37
Gräber mit 2 Bestattungen	4[11]	10
Gräber mit 3 Bestattungen	2	6
Gräber mit 4 Bestattungen	1	4
Doppelbestattung	1	2
	45	59
Großkurgan 39:		
Gräber mit 1 Bestattung	36	36
Gräber mit 2 Bestattungen	6	12
Gräber mit 3 Bestattungen	1	3
Doppelbestattungen	3	6
	46	57
Großkurgan 37:		
Gräber mit 1 Bestattung	28	28
Gräber mit 2 Bestattungen	4	8
Gräber mit 3 Bestattungen	1	3
Doppelbestattung	1	2
	34	41

[11] in zwei Fällen Doppelbestattung.

Großkurgan 8:

Gräber mit 1 Bestattung	21	21
Doppelbestattungen	2	4
Dreifachbestattung	1	3
Kenotaph	1	0
	25	28

Kleinere Kurgane
4, 7, 12, 32, 33, 34, 64, 65,
67, 69, 100, 102, 124, 135,
140, 145, 173, 175

Gräber mit 1 Bestattung	53	53
Gräber mit 2 Bestattungen	1	2
Gräber mit 3 Bestattungen	1	3
Doppelbestattungen	6	12
Dreifachbestattungen	2	6
	63	76

Einzelkurgane
3, 9, 25, 28, 40, 41, 52, 53,
55, 56, 57, 59, 60, 68, 99,
107, 108, 133, 143, 145,[12]
174, 176, 177, 178

Gräber mit 1 Bestattung	19	19
Gräber mit 2 Bestattungen	3	6
Gräber mit 3 Bestattungen	1	3
Kenotaph	1	0
	24	28

Flachgräber
76, 170, 171

Gräber mit 1 Bestattung	2	2
Doppelbestattung	1	2
	3	4

[12] Von den Verfassern an zwei Stellen unter derselben Nummer genannt. (Vajnštejn/D'jakonova [Anm. 1] 3 [1970] 66 ff. u. 227 ff.). Auch am Gräberfeldplan zweimal eingetragen.

Insgesamt wurden in Kokėl' 381 Gräber der hunno-sarmatischen Zeit mit 475 Beigesetzten erforscht. Demnach blieben etwas über 100 als funerale Anlagen erkannte Objekte noch ununtersucht.

Der Fundstoff wird von den beiden Verfassern in Katalogform in der Abfolge der Grabungskampagnen vorgelegt, die Funde selbst nicht geschlossen, sondern nach Typen geordnet vorgestellt. Über die Zusammensetzung der Grabinventare vgl. Tabellarische Übersicht im Anhang.

In den einzelnen Abschnitten des Berichtes wurde das Fundgut in Text und Bild ungleichmäßig abgehandelt. So ist beispielsweise nur bei 80 der 206 Gräber, die eiserne Pfeilspitzen enthalten, ihre Anzahl angeführt, sind von den etwa 354[13] Messern verschiedener Typen nur 107, also ein knappes Drittel, abgebildet. Dies kann zu Verzerrungen führen, wird indes durch die Menge des Materials, wie es aus diesem Bereich bisher nicht vorlag, und durch Ergänzungen, die sich aus der Kombination mit anderen Erscheinungen ergeben, teilweise wettgemacht.

Von den 475 Bestatteten aus der Šurmakzeit wurden 339 anthropologisch[14] und archäologisch (nach den Beigaben) auf Geschlecht und teilweise nach Alter bestimmt. In 316 Fällen stimmen die Befunde überein, in 23 Fällen (fast 7%) nicht. Bei abweichender Zuordnung wird in den Tabellen im Anhang die abweichende archäologische Bestimmung neben der anthropologischen in Klammern gesetzt. Außerdem wurden noch 80 nur archäologische Bestimmungen vorgenommen. In den Listen erscheinen sie eingeklammert. Auf die Geschlechts- und Altersstruktur wird im Abschnitt „Soziale Verhältnisse" näher eingegangen.

Die Funde aus Kokėl' werden im Ethnographischen Institut der Akademie der Wissenschaften der UdSSR in Leningrad verwahrt.

---

[13] Die genaue Zahl ist nicht feststellbar. Manchmal ist die Bestimmung als Messer unsicher, gelegentlich die genaue Zahl der Messer in einem Grab nicht angegeben.

[14] V.P. Alekseev/I.I. Gochman, in: Trudy Tuvinskoj kompleksnoj archeologo-ėtnografičeskoj ėkspedicii 3 (1970) 239 ff.

Grabformen

Ein herausragendes Merkmal des Gräberfeldes ist die Anordnung der Gräber, die entweder im Verbund großer Kurgane oder in kleineren Kurganen mit weniger als zehn Bestattungen bzw. als Einzelkurgane vorkommen. Die Bestatteten liegen auf dem Grund der unter der Kurganaufschüttung ausgehobenen Grabschächte. Außerdem enthält das Gräberfeld drei Flachgräber. Die Mehrzahl der Gräber befindet sich innerhalb der Großkurgane 11, 26, 39, 37 und 8,[1] deren Aufschüttungen aus Findlingen und Schotter bestehen. Bei vieren von ihnen beträgt die Höhe der Aufschüttung 1,00 bis 1,60 m; nur bei Großkurgan 37 wurde sie durch Abtragung der Steine auf 20 cm reduziert. In den Aufschüttungen fand man vereinzelt Gegenstände meist jüngeren Datums sowie einige eingelassene Gräber aus der Neuzeit. Nach Abnahme des Aufschüttungsmaterials kamen in den Großkurganen 11 und 26 vertikal aufgestellte Steine (bei Großkurgan 26 deren vierzehn) zum Vorschein, die sich ohne erkennbare Ordnung bzw. oft ohne Zusammenhang mit den Grabbauten über das Areal der Großkurgane verteilen. Die Steine sind 0,30 bis 1,00 m hoch und etwa 0,25 m tief eingegraben. Außerhalb des Großkurgans 11, an seinem NO Rand, befanden sich, halbkreisförmig angeordnet, fünf solcher vertikal aufgestellter Findlinge. Unter den Aufschüttungen fand man, über die Fläche der Großkurgane verstreut, Brandflecken und Aschespuren.

Bei den Grabformen können wir uns auf Angaben allgemeiner Gültigkeit beschränken. Über Einzelheiten unterrichtet Liste 1 im Anhang. Die Gräber sind nahezu immer von ovaler bis fast rechteckiger Form. Die Ausmaße der Grabgrube richten sich nach der Größe der bestatteten Individuen bzw. ihrer Anzahl. Naturgemäß fanden Kinderbestattungen in Gruben kleinerer Ausmaße statt. Im allgemeinen überschreiten die Grabgruben einzeln bestatteter Erwachsener kaum die Ausmaße von 2,80 × 1,00 m.

Sehr unterschiedlich ist hingegen die Tiefe der Grabgruben. Sie reicht von 0,20 bis 3,30 m, wobei sie sich in der überwiegenden Mehrzahl der Fälle zwischen

---

[1] Großkurgan 11 max. L. 68, max. Br. 26 m. Großkurgan 26 bedeckt eine Fläche von 900 m², max. Br. 42 m (L. nicht angegeben). Großkurgan 39 max. L. 29, max. Br. 14 m. Großkurgan 37 max. L. 21, max. Br. 11,5 m. Großkurgan 8 max. L. 32,5, max. Br. 17 m.

1,00—2,00 m bewegt. Hier zeigt sich eine eindeutige Tendenz, Kinder flacher zu bestatten. So sind im Großkurgan 11, der die größte Gräberzahl (141 Grabeinheiten mit 182 Bestatteten) aufweist, von den 14 Bestattungen in einer Tiefe von weniger als 0,70 m 8 Kindergräber, 4 Frauengräber und kein einziges Männergrab (in 2 Fällen war das Geschlecht nicht eindeutig feststellbar). Andererseits fand sich im selben Kurgan unter den 19 Gräbern mit Tiefen über 2,00 m keine einzige Kinderbeisetzung. Ein gewisser Zusammenhang besteht auch zwischen der Tiefe der Grabgrube und dem Geschlecht der erwachsenen Individuen: mit zunehmender Tiefe, über 1,50 m, erhöht sich der Anteil der Männerbestattungen überproportional stark, wogegen die Zahl der Frauengräber abnimmt. Zu bedenken wäre schließlich, daß die Beschaffenheit des Bodens und die jeweilige Jahreszeit, zu der die Bestattung stattfand, eine gewisse Rolle gespielt haben können.

Tiefe Grabschächte weisen in einigen Fällen auf reiche Beigabenausstattung und einen gehobenen sozialen Status hin.[2] Darauf wird bei Besprechung der sozialen Verhältnisse näher eingegangen werden.

Das Füllmaterial der Grabschächte besteht in der Regel aus Schotter und Sand. Nur in einzelnen Fällen finden sich darin ein großer oder mehrere kleine Findlinge oder ist der ganze Schacht mit Steinen ausgefüllt.

Die Ausrichtung der Gräber ist nicht einheitlich. Bei den fünf Großkurganen ist, sofern feststellbar, über die Hälfte NW-SO ausgerichtet, je ein Zehntel NO-SW, N-S, W-O und SW-NO. Im Großkurgan 8, der wegen der Vollständigkeit der Angaben als repräsentativ angesehen werden kann, ist die Ausrichtung der Gräber in 17 Fällen NW-SO und je zweimal NO-SW, N-S, W-O und SW-NO. Ähnlich verhält es sich bei den restlichen Gräbern außerhalb der Großkurgane. Auch hier ist mehr als die Hälfte NW-SO orientiert. Für Einzelheiten sei auf Liste 1 im Anhang verwiesen.

---

[2] Z.B. Großkurgan 26, Grab XXVI, Männergrab, Tiefe 2,80 m, u.a. mit 18 Pfeilspitzen; Großkurgan 26, Grab XLI, Männergrab, Tiefe 2,75 m, mit goldenem Halsring, Blattgold und vielen Holzgefäßen; Großkurgan 39, Grab XXXIII, Männergrab, Tiefe 3,30 m, mit goldenem Ohrring.

Bestattungsweise

Die Beisetzungen fanden während der Šurmakzeit in der Regel als Körperbestattungen in ausgestreckter Rückenlage statt. Die Toten liegen entweder unmittelbar auf der Erde oder auf Zweigen (Abb. 2), Brettern (Abb. 3), in einer Holzkonstruktion (Abb. 4) oder einem Baumsarg (Abb. 5), der manchmal mit einem Brett bedeckt ist, ausnahmsweise in einem Sarg (Abb. 6.7) oder einer Steinkiste (Abb. 8).

Als Füllmaterial der *Grabschächte* wird Schotter und Sand verwendet. In der Mehrzahl der Fälle wird der Bestattete vor Zuschütten der Grube mit einer Schicht Steine, mit Holz oder mit beidem bedeckt. So ergeben sich verschiedene Varianten, die, soweit es feststellbar war, in der folgenden Tabelle zusammengefaßt werden.

Die Angaben in der senkrechten Kolonne „nichts außer Schotter und Sand" und in der waagrechten Zeile „Toter liegt unmittelbar auf Erde" sind unsicher. Sie wurden auch dann eingesetzt, wenn aus Text oder Abbildung bzw. deren Fehlen nichts anderes erkannt werden konnte. Dies trifft vor allem auf Großkurgan 11 zu. Unter diesem Vorbehalt ergibt sich, daß ohne Gkg. 11 bei insgesamt 223 Bestattungen sowohl Angaben über den Aufbau des Grabschachtes als auch über die Art der Beisetzung verfügbar sind. Demnach bilden Bestattungen unter einer in Schotter und Sand eingebetteten Steinlage (94 Fälle = 42 %), gefolgt von solchen mit zusätzlich darunter liegendem Brett (45 Fälle = 20 %) die häufigste Art der Gestaltung des Grabschachtes. Was die Art der Beisetzung selbst angeht, stehen Bestattungen in Holzkonstruktionen (Bodenbretter mit vertikal aufgestellten, miteinander verbundenen Längs- und Querbrettern) an erster (92 Fälle oder 41 %), Bestattungen nur auf Brettern (43 Fälle oder 19 %) an zweiter Stelle. Hoch ist auch der prozentuale Anteil der als Bestattungen auf vermodertem Holz bezeichneten Beisetzungen, der allerdings nicht viel über das ursprüngliche Aussehen aussagt (37 Fälle oder 17 %).

Wie die Tabelle zeigt, kommen nicht alle Merkmale des Schachtaufbaues mit allen Bestattungsarten kombiniert vor. Andererseits besteht fallweise eine positive Korrelation dieser beiden Elemente zueinander, so beispielsweise zwischen Bestattungen unter einer einfachen Steinlage ohne Holzteile und Beisetzungen in Holzkonstruktionen und Baumsärgen. Auch zeigen sich bei den einzelnen

Im Grabschacht über der Bestattung außer Schotter und Sand

Toter liegt	nichts	Holz				Steinlage	Steinlage und Holz				Insgesamt
		vermodertes Holz	Balken oder Stangen	Bretter	Balken oder Stangen, darunter Bretter		Steinlage, darunter vermodertes Holz	Steinlage, darunter Zweige	Steinlage, darunter Bretter	Steinlage, darunter Balken oder Stangen	
Gkg 11											
unmittelbar auf Erde	4	—	2	1	1	39	2	1	1	1	52
auf Gras	—	—	—	—	—	1	—	—	—	—	1
auf vermodertem Holz	3	—	—	—	—	15	—	—	—	1	19
auf Zweigen	—	—	2	1	—	1	—	—	—	2	6
auf Brettern	—	—	—	—	—	1	—	—	—	—	1
in Holzkonstruktion	7	—	1	1	—	41	1	—	2	—	53
in Baumsarg	4	—	—	1	—	13	—	—	—	—	18
in Holzsarg mit Deckel	—	—	—	—	—	1	—	—	—	—	1
	18	—	5	4	1	112	3	1	3	4	151
Gkg 26											
unmittelbar auf Erde	—	—	—	2	—	2	—	—	3	—	7
auf vermodertem Holz	2	—	1	—	—	6	—	—	6	—	15
auf Zweigen	—	—	—	—	—	1	—	—	—	—	1
auf Brettern	—	—	—	—	—	2	—	—	2	—	4
in Holzkonstruktion	—	—	—	—	—	11	1	—	7	1	20
in Baumsarg	—	—	—	—	—	1	—	—	—	—	1
	2	—	1	2	—	23	1	—	18	1	48

Grabgruben

Toter liegt	Im Grabschacht über der Bestattung außer Schotter und Sand										
		Holz				Steinlage	Steinlage und Holz				Insgesamt
	nichts	vermodertes Holz	Balken oder Stangen	Bretter	Balken oder Stangen, darunter Bretter	Steinlage	Steinlage, darunter vermodertes Holz	Steinlage, darunter Zweige	Steinlage, darunter Bretter	Steinlage, darunter Balken oder Stangen	Insgesamt
Gkg 39											
unmittelbar auf Erde	1	—	—	—	—	7	2	—	—	—	10
auf vermodertem Holz	1	1	—	—	—	—	—	—	2	—	4
auf Balken oder Stangen	—	—	—	—	—	—	—	—	—	2	2
auf Brettern	4	—	—	—	—	9	2	—	2	—	17
in Holzkonstruktion	—	—	—	—	—	4	1	—	—	—	5
in Baumsarg	1	—	—	—	—	1	—	—	—	—	2
	7	1	—	—	—	21	5	—	4	2	40
Gkg 37											
unmittelbar auf Erde	—	—	1	1	—	5	1	—	2	2	12
auf vermodertem Holz	—	—	—	—	—	—	3	—	—	—	3
auf Zweigen	—	—	—	1	—	—	1	—	1	—	2
auf Brettern	1	—	—	1	—	3	1	—	—	—	6
in Holzkonstruktion	—	—	—	—	—	3	—	—	2	—	5
in Baumsarg	—	—	—	—	—	5	—	—	—	—	5
	1	—	—	2	—	16	6	—	5	2	33

Toter liegt	nichts	Im Grabschacht über der Bestattung außer Schotter und Sand — Holz: vermodertes Holz	Balken oder Stangen	Bretter	Balken oder Stangen, darunter Bretter	Steinlage	Steinlage und Holz: Steinlage, darunter vermodertes Holz	Steinlage, darunter Zweige	Steinlage, darunter Bretter	Steinlage, darunter Balken oder Stangen	Insgesamt
Gkg 8											
unmittelbar auf Erde	—	—	—	—	—	—	—	—	—	—	—
auf vermodertem Holz	2	—	1	—	—	—	—	—	—	—	3
auf Brettern	—	—	—	—	—	—	—	—	—	—	—
in Holzkonstruktion	1	—	—	—	—	12	1	—	6	—	20
in Baumsarg	—	—	—	—	—	—	—	—	—	—	—
	3	—	1	—	—	12	1	—	6	—	23
Kleinere u. Einzelkurgane, Flachgräber											
unmittelbar auf Erde	—	—	1	—	—	—	1	—	—	—	2
auf vermodertem Holz	3	1	—	—	—	8	—	—	—	—	12
auf Zweigen	1	—	—	—	—	—	1	—	—	—	2
auf Balken und Stangen	—	—	—	1	—	—	—	—	—	1	2
auf Brettern	2	1	—	7	1	1	—	—	4	—	16
in Holzkonstruktion	10	—	2	5	—	13	2	—	8	2	42
in Baumsarg	—	—	—	2	—	—	—	—	—	1	3
	16	2	3	15	1	22	4	—	12	4	79

Großkurganen Unterschiede im Anteil der einfachen Steinlagen im Grabschacht. So ist er z. B. in Großkurgan 11 mit 112 von insgesamt 151 der Bauart
nach bestimmten Gräbern auffallend hoch gegenüber den anderen Großkurganen, wo er nur etwa die Hälfte der Fälle ausmacht. Das verleiht dem Gkg. 11
gewisse individuelle Züge, die man auch bei anderen Erscheinungen, wie etwa
bei der Beigabe von Tierknochen, ausmachen kann. Überhaupt scheint jeder der
fünf Großkurgane hinsichtlich der Bestattungsweise seinen eigenen Charakter
zu haben. In Großkurgan 8 z. B. sind von den 23 dem Aussehen nach ermittelba-
ren Beisetzungen 20 in Holzkonstruktion und 3 „auf vermodertem Holz", bei
dem es sich möglicherweise ursprünglich ebenfalls um Holzkonstruktionen
handelte, dagegen keine unmittelbar auf Erde, auf Zweigen oder Brettern.

Sieben Gräber sondern sich in der Gestaltung des Grabschachtes von den übrigen ab. Vier von ihnen (Gkg. 26 Gr. XIX, Gkg. 26 Gr. XXXVIII. Best. 1 u. 2,
Kg. 28 und Kg. 40) enthalten nicht eine, sondern zwei Steinlagen (Abb. 9). In
Kurgan 7 Gr. IV findet sich anstelle der oberen Steinschicht in 0,60 m Tiefe ein
großer flacher Stein, in 2,00 m Tiefe eine Steinpackung. Großkurgan 8 Gr. V
enthält in 0,30 m Tiefe anstelle der oberen Steinschicht fünf Steinplatten und
darunter noch eine Steinschicht. Bei Großkurgan 39 Gr. XXXIII ist der ganze
Schacht mit Steinen ausgefüllt und wird unten mit Holz abgeschlossen. Alle diese Gräber weisen eine überdurchschnittlich große Tiefe auf, die in einem Fall
(Gkg. 39 Gr. XXXIII) 3,30 m beträgt. Dies weist, in Verbindung mit der sorgfäl-
tigeren Anlage des Grabschachtes, auf eine bevorzugte Behandlung der Verstorbenen und ihren gehobenen sozialen Status hin.

Es fällt auf, daß bei der Anfertigung von *Holzkonstruktionen* mit einer Ausnahme, wo sich eine eiserne Klammer fand (Kg. 65 Gr. II), die Arbeiten ohne
Zuhilfenahme von Metallteilen ausgeführt wurden. Gelegentlich sind die Holzkonstruktionen am Kopfende mit einem durch ein Querbrett abgetrennten
Abteil versehen, das als eine Art *Vorratskammer* gedacht war und vornehmlich
der Aufnahme von Ton- und Holzgefäßen diente (Abb. 10). Solche „Vorratskammern" wurden fünfmal im Großkurgan 8 (Gr. IV, V, VI, VII, XI) beobachtet, außerdem in Großkurgan 26 (Gr. XLI) in Kurgan 7 (Gr. III, Doppelbestattung), Kg. 55 und Kg. 40. In ihnen wurden außer den Gefäßen aus Ton und
Holz (fünf Schüsseln, 3 Fäßchen sowie einigen Holzgefäßen anderer Art) auch
noch ein Holzlöffel, ein Holzquirl, ein Metallgefäß (Gkg. 26 Gr. XLI) und eine
der Frauenausstattung zugehörige Holzschachtel gefunden, die Pinzette, Schaber für Ledergewinnung, Messermodell, Messer, Pfriem und einige zugespitzte
Stäbchen enthielt (Kg. 55). Nur in einem Fall, Kurgan 7 Gr. III, fand sich ein

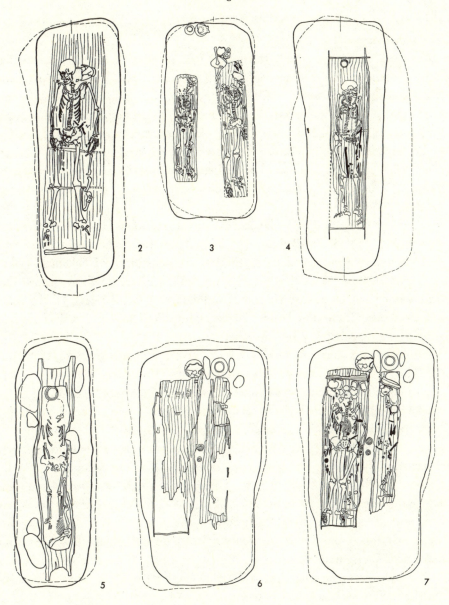

Abb. 2. Bestattung auf Zweigen. (Gkg. 11 Gr. IX). — (Nach V.P. D'jakonova).
Abb. 3. Bestattung auf Brettern. (Gkg. 39 Gr. VII). — (Nach V.P. D'jakonova).
Abb. 4. Bestattung in Holzkonstruktion. (Gkg. 11 Gr. LX). — (Nach V.P. D'jakonova).
Abb. 5. Bestattung in Baumsarg. (Gkg. 11 Gr. LXIX). — (Nach V.P. D'jakonova).
Abb. 6 und 7. Bestattung in Sarg; vor und nach Entfernung der Abdeckung. (Gkg. 11 Gr. L). — (Nach V.P. D'jakonova).

Hinterfuß vom Schaf als Nachweis der Niederlegung von Wegzehrung in der
Vorratskammer selbst.

Aus dem Gräberfeld sind insgesamt 29 Bestattungen in *Baumsärgen* überliefert.[1] Auffallend ist die hohe Zahl der Kinderbeisetzungen auf diese Art. Acht
Male handelt es sich um Einzelbestattungen von Kindern, in zwei Fällen um
Grablegungen zusammen mit Erwachsenen in Doppelbestattungen. Ins Auge
springt auch, daß es sich dabei in 20 Fällen um Bestattungen unter einer Steinlage im Grabschacht handelt, dreimal unter Brettern und fünfmal um Gräber,
deren Schächte nur Füllmaterial enthielten. Lediglich die unsichere Bestattung
Kurgan 177 liegt unter einer Steinlage, unter der sich auch eine Schicht Balken
befindet.

Außer den Grabanlagen der beschriebenen Arten finden sich im šurmakzeitlichen Kokěl' fünf *Steinkisten* aus vertikal aufgestellten Steinplatten. Vier von
ihnen enthalten Kinderskelette, davon drei in ausgestreckter Rückenlage (Gkg.
11 Gr. XCV. Kg. 100 Gr. I u. II), eine ein Kind in Hockerstellung (Kg. 67 Gr.
II); bei einer handelt es sich um eine Brandbestattung (Kg. 53 Best. 2). Holzteile
sind aus diesen Gräbern nicht überliefert außer bei Kg. 100 Gr. I, in dem der Bei-
gesetzte auf Pappelzweige gebettet war.

Kenotaphe sind durch die Gräber LV und LVIII in Großkurgan 11, Gr. XI in
Großkurgan 8 und Kurgan 108 vertreten. Dabei handelt es sich zweimal um
Grabanlagen mit Holzkonstruktionen, einmal um einen Sarg (Gkg. 11 Gr. LV),
einmal befindet sich unter den Steinen der Aufschüttung ein Scheiterhaufen (Kg.
108), doch fehlen erkennbare Zeichen einer Grabanlage.

Von dem regelhaft geübten Brauch, bei *Doppelbestattungen* beide Beigesetzten
in derselben Höhenlage zu beerdigen, weichen Gr. C in Großkurgan 11 und die
Gräber I und II in Großkurgan 39 ab. Hier befanden sich die erwachsenen Individuen (in Gkg. 11 eine Frau, in Gkg. 39 beide Male ein adulter Mann) unter, das
Kind über der Steinlage im Grabschacht.

Beobachtungen, die das Entzünden von *Feuer* im Grab selbst bezeugen, sind
nicht allzu häufig und bleiben auf einige wenige Fälle begrenzt. Sie erscheinen
als Brandspuren unter dem Skelett (Gkg. 39 Gr. VI, Bestattung einer schwange-
ren Frau mit Kind), am Skelett selbst (Gkg. 11 Gr. VI), als angekohlte Balken
unter dem Bestatteten (Gkg. 37 Gr. V) oder verkohlte Holzstücke in der Grab-

---

[1] Gkg. 11 Gr. IVA. V. VIII. XI. XII. XXVIII. LIX Best. 2. LXIX. LXXVII. LXXXI.
LXXXV. XC. XCI. CX. CXI. CXX. CXXIV. CXXXI. — Gkg. 26 Gr. XXII. — Gkg. 39
Gr. IV. XIV. — Gkg. 37 Gr. XV. XVII. XXV. XXVI Best. 2. XXXIII Best. B. — Kg. 12
Gr. III. IV. — Kg. 177 (unsicher).

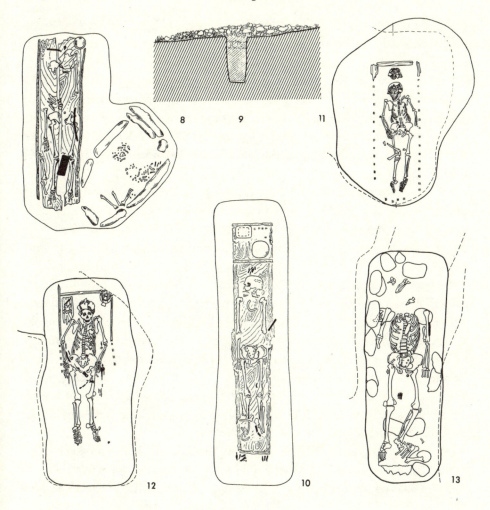

Abb. 8. Bestattung in Steinkiste. (Kg. 53). (Nach S.I. Vajnštejn/V.P. D'jakonova).

Abb. 9. Füllung des Grabschachtes mit zwei Steinlagen. (Kg. 28). —
(Nach S.I. Vajnštejn/V.P. D'jakonova).

Abb. 10. Bestattung in Holzkonstruktion mit „Vorratskammer". (Gkg. 8 Gr. V). —
(Nach S.I. Vajnštejn/V.P. D'jakonova)

Abb. 11. Bestattung, von Holzrahmen umgeben. (Gkg. 26 Gr. XXIII). —
(Nach S.I. Vajnštejn).

Abb. 12. Bestattung auf Brettern, von Holzstangen umsäumt. (Gkg. 26 Gr. XXI). —
(Nach S.I. Vajnštejn).

Abb. 13. Bestattung, von Steinen umgeben. (Gkg 39 Gr. XX). —
(Nach V.P. D'jakonova).

grube, unmittelbar beim Skelett.[2] Im Großkurgan 11 Gr. CX weist eine Feuer-
stelle außerhalb des Baumsarges am Fußende der Grabgrube in dieselbe Richtung.

Von den Normen der Bestattung auf Holz bzw. unmittelbar auf der Erde
weichen jene ab, bei denen der Tote entweder *auf Gras gebettet* wurde und von
Holzbalken umgeben war (Gkg. 11 Gr. CXIV) bzw. die Toten von einem *Holzrahmen umgeben* auf der Erde lagen (Gkg. 26 Gr. XV und XXIII) (Abb. 11) oder
sich auf einem von *Holzstangen umsäumten Brett* befanden (Gkg. 26 Gr. XXI)
(Abb. 12).

Im Gegensatz zum häufigen Vorkommen großer Steine in Form von Steinlagen im Grabschacht ist die Verwendung von *Steinen* im Grab selbst selten. In 18
Gräbern[3] waren die Skelette von Steinen umgeben (Abb. 13). Auffällig ist dabei
das verhältnismäßig häufige Vorkommen dieser Bestattungsweise im Großkurgan 39.

Zu den Besonderheiten des Bestattungsrituals zählen noch die *Bettung des Schä-
dels* des Bestatteten auf Holzrinde und trockenem Gras (Gkg. 26 Gr. XLI) bzw.
auf einem *Steinkissen*[4] (Abb. 14). Letzterer Brauch ist in Tuva schon aus der
Ujukzeit überliefert[5] und auch aus dem zeitgleichen nordwestmongolischen
Gräberfeld Ulangom bekannt, wo sich sowohl in Steinkisten als auch in Holzkammern Bestattungen mit diesem Merkmal finden.[6] Es handelt sich um eine
langlebige Sitte, die in Tuva noch während der uigurischen Zeit (750—840) geübt
wird.[7] Eine mögliche Besonderheit ist der Fund eines größeren Findlings auf der
Brust des Skelettes in Großkurgan 11 Gr. XIII.

Die *Füllung* der Grabschächte weist, häufiger als es innerhalb des Grabes selbst
der Fall ist, Spuren von Feuereinwirkung auf. Asche und Holzkohle sind aus 44
Gräbern überliefert, doch wird diese Aussage durch die ungleichmäßige Aus-

---

[2] Gkg. 11 Gr. XXXV Best. 1. XLII Best. 2. CVIII. CXV. CXIX. CXXX. CXL Best. 2.
— Gkg. 26 Gr. VIII. — Gkg. 37 Gr. XVI Best. 1. XXIA. XXXIII Best. A. — Kg. 140 Gr. I.

[3] Gkg. 11 Gr. XXVII. — Gkg. 26 Gr. III. — Gkg. 39 Gr. I Best. 2. XVIII Best. 1. XX.
XXVI. XXIX Gr. V. XLVI. — Gkg. 8 Gr. XIV. — Kg. 7 Gr. IV. VIII. — Kg. 57. — Kg.
65 Gr. V. — Kg. 124 Gr. II. — Kg. 145 Gr. II. — Kg. 143. — Kg. 145.

[4] Gkg. 11 Gr. XLVIII. — Gkg. 39 Gr. II Doppelbest. A (Kopf des Kindes). — Gkg. 37
Gr. III. — Kg. 4 Gr. I. — Kg. 12 Gr. I. II. III. IV.

[5] S.I. Vajnštejn, in: Trudy Tuvinskoj kompleksnoj archeologo-ėtnografičeskoj ėkspedicii 2 (1966) 320.

[6] E.A. Novgorodova u.a., Ulangom. Ein skythenzeitliches Gräberfeld in der Mongolei. Asiat. Forschungen 76 (1982) 35f.

[7] R. Kenk, Frühmittelalterliche Grabfunde aus West-Tuva. AVA-Materialien 4 (1982)
18f.

führlichkeit der Beschreibung in den einzelnen Abschnitten des Grabungsbe-richtes relativiert. Dasselbe trifft auch auf das gelegentliche Vorkommen von Gefäßscherben oder anderen Gegenständen in der Grabgrubenfüllung zu. Ein ganzes Gefäß fand sich nur einmal im Füllmaterial von Kurgan 56. Scheiterhau-fenreste kamen in der Grubenfüllung des Kurgan 57 und über den Bestattungen 1, 2 und 3 in Kurgan 41 zum Vorschein.

Von Interesse sind die Funde von *Tierknochen* in den Grabschächten, da sie sowohl etwas über das bei der Aushebung der Grube verwendete Werkzeug als auch über die mit der Beisetzung verbundenen Bestattungssitten aussagen. Als unbrauchbar gewordene und weggeworfene Werkzeuge, die bei der Aushebung der Gruben benutzt worden waren, sind wohl die Funde von Maralgeweih in Großkurgan 11 Gr. CXXXV (zwei Stück, eines davon zugespitzt), ein bearbeite-tes Maralhorn in Großkurgan 8 Gr. V, zwei Haken aus Elchgeweih und drei Keile aus Geweih in Großkurgan 11 Gr. CXXXVI sowie ein Geweihstück in Kurgan 55 zu deuten. Bei den übrigen Tierknochenfunden dürfte es sich teils um

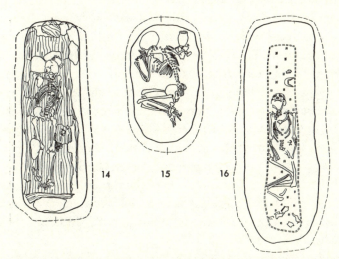

Abb. 14. Schädel des Bestatteten auf Steinkissen. (Kg. 12 Gr. IV). —
(Nach V.P. D'jakonova).
Abb. 15. Bestattung in seitlicher Hockerlage. (Gkg. 11 Gr. LVI). —
(Nach V.P. D'jakonova).
Abb. 16. Bestattung in Rückenlage, Hockerstellung. (Gkg. 11 Gr. XLV). —
(Nach V.P. D'jakonova).

rituelle Deponierungen, teils um Reste des Totenmahles handeln. Die erstere Deutung liegt nahe bei einem Pferdeschädel in Großkurgan 11 Gr. LXXVII, dem Pferde-Röhrenknochen aus Gkg. 11 Gr. CI und den vier Hammelschädeln, die, alle mit dem Maul nach Westen ausgerichtet, über der Doppelbestattung (Frau und Kind) in Gkg. 11 Gr. LXXXV liegen. In der Füllung der Grabgruben vorgefundene Tierknochen, die als Reste von Leichenschmaus anzusprechen sind, stammen ausschließlich von Schafen.[8] Es handelt sich um Rippen, Röhrenknochen und Becken, die teilweise deutliche Spuren von Spaltung und Anbissen tragen.

Hirse, die öfters bei den Bestatteten in der Grabgrube gefunden wird, wurde in drei Fällen auch in der Schachtfüllung angetroffen: in Gkg. 11 Gr. CXXXIII und in Kg. 55 sowie auf den Holzbalken über der Bestattung in Gkg. 11 Gr. IX.

Kurgan 12 am Südost-Rand des Gräberfeldes, der vier Bestattungen enthält, zeichnet sich dadurch aus, daß über den Gräbern II, III und IV *Findlinge* aufgestellt sind. Diese Art äußerlicher Kennzeichnung der Gräber ist sonst in Kokél' nicht bekannt.

Körperbestattungen in gestreckter Rückenlage mit längs dem Körper ausgestreckten Armen oder bisweilen auf dem Becken ruhenden Handflächen sind im šurmakzeitlichen Kokél' die Regel. Davon abweichende Bestattungsarten sind auf wenige Fälle beschränkt. Dazu gehören Brandbestattungen, Beisetzungen in gestreckter seitlicher sowie in Hockerlage auf Rücken (Abb. 16) oder Flanke (Abb. 15). Abgesehen von Skeletteilen, die durch Grabraub oder wegen der Anlage anderer Grabgruben disloziert wurden, gibt es einige klare Hinweise auf intentionelle Verstümmelung der Toten und auch auf Knochenbrüche, die entweder absichtlich am Leichnam vorgenommen wurden oder von alten Verletzungen herrühren können. Ferner treten kleinere Abweichungen von der sonst üblichen Rückenlage auf, wie ungewohnte Lage der Arme und Beine.

Brandbestattungen kommen nur zweimal vor. In Großkurgan 11 Gr. L Best. 2 sind die verbrannten Knochen in drei Häufchen so gruppiert, daß die Schädelknochen in Kopfhöhe, die beiden anderen Häufchen in der Mitte und am Fußende des Grabes liegen. Das zweite Brandgrab, Kg. 53 Best. 2, befindet sich in einer Steinkiste.

Bestattungen in ausgestreckter seitlicher Lage sind vorwiegend auf *Kinder* beschränkt. Sie sind entweder allein[9] oder in Mehrfachbestattungen zusammen

---

[8] Gkg. 11 Gr. XII. LVII. LXXXIX. — Gkg. 26 Gr. XXXVIII (kalzinierte Röhrenknochen). — Gkg. 37 Gr. I.
[9] Gkg. 11 Gr. CVII Best. 1 und Best. 2.

mit Erwachsenen[10] auf diese Weise beigesetzt. Bei Erwachsenen findet man diese Abweichung nur in drei Fällen.[11]

Hockerstellungen kommen sowohl in seitlicher[12] als auch in Rückenlage vor.[13] Die auf diese Art Beigesetzten sind überwiegend Erwachsene.

Von erheblichem Interesse ist, daß in fünf ungestörten Gräbern, bei sonst vollständig erhaltenen und in situ liegenden Teilen des Skelettes der *Schädel fehlt*.[14] Offensichtlich handelt es sich hierbei um absichtlich vorgenommene Verstümmelungen; auch Spuren der Abtrennung an den Halswirbeln weisen darauf hin. Es geht wohl um ein aus der Vorstellungswelt vieler Naturvölker als Totenfurcht erklärbares Phänomen, eine Erscheinung, die häufig anzutreffen ist, vor allem dann, wenn Menschen unerwartet oder eines unnatürlichen Todes starben; man wollte damit ihre Wiederkehr verhindern.[15] Ähnlich zu deuten ist auch der zwar abgetrennte, jedoch in situ liegende Kopf in Kurgan 3. Hinweise auf mögliche Zerstückelungen finden sich auch in Großkurgan 26 Gr. XIX und XXIX sowie in Gkg. 37 Gr. XXXII und Kurgan 34 Gr. IV Best. 1.

Spuren von *Knochenbrüchen* wurden ausschließlich an den unteren Extremitäten festgestellt, an Schienbein sowie den Ober- und Unterschenkeln.[16] Auch hierbei wäre an mögliche intentionelle Verstümmelung zu denken. Der Schädel des Skelettes in Großkurgan 26 Gr. XI weist ein Loch auf.

In Großkurgan 8 Gr. XX nehmen die beiden Bestatteten, ein matures männliches und ein matures weibliches Individuum eine *ungewöhnliche Lage* zueinander ein. Der Mann liegt in Bauchlage über der Frau. Weitere von der Norm

---

[10] Gkg. 11 Gr. I (Dreifachbestattung) Kind auf rechter Flanke liegend. — Gkg. 26 Gr. V (Doppelbestattung) Kind auf rechter Flanke liegend. — Gkg. 8 Gr. XXIV (Dreifachbestattung, davon zwei Kinder) beide auf rechter Flanke liegend.

[11] Gkg. 26 Gr. XXVII. — Kg. 170 (Doppelbestattung von Mann und Frau. Frau in seitlicher Lage). — Kg. 177.

[12] Gkg. 11 Gr. LVI (Frau) nach links. Gr. CXII (wahrscheinlich Frau) nach links. — Gkg. 39 Gr. VI (Doppelbestattung: Frau und Kind) Frau auf rechter, Kind auf linker Seite liegend. — Kg. 56 Best. 1 (Frau) auf linker Seite. — Kg. 67 Gr. II (Kind) auf linker Seite liegend.

[13] Gkg. 11 Gr. XLV (Erwachsener). Gr. C (Doppelbestattung: Frau und Kind) Kind in Hockerstellung auf Rücken. Gr. CXIX (Frau). — Gkg. 26 Gr. XLV Best. 3 (Kind). — Gkg. 8 Gr. II (Mann).

[14] Gkg. 8 Gr. III (Mann matur). — Kg. 32 Gr. A (Mann). — Kg. 52 (Geschlecht und Alter unbestimmt). — Kg. 170 (Doppelbestattung: Mann und Frau) Frau in ausgestreckter Rückenlage auf rechter Flanke, ihr Gesicht vom Mann abgewendet. Mann ohne Kopf. — Kg. 174 Best. 1 (Mann matur).

[15] W. Hirschberg, Wörterbuch der Völkerkunde (1965) 445, s.v. „Totenfurcht".

[16] Gkg. 11 Gr. VI. XIV. XXIII. XXVI. XXVII.

abweichende Lagen stellen die vor das Gesicht gehaltene Handfläche des Kindes
in Großkurgan 26 Gr. XXX und die gekreuzten Beine des Kindes in Gkg. 11 Gr.
XII (Doppelbestattung Frau und Kind) dar.

In Kurgan 68 (adulter Mann in gestreckter Rückenlage in Holzkonstruktion)
fand man außerhalb der Grabanlage am Kopfende des Bestatteten einen zweiten
menschlichen Schädel.

Die *Ausrichtung* der Skelette entspricht bei Einzelbestattungen in der Regel
der Orientierung der Grabgrube (s. Liste 1). Bei einigen Mehrfachbestattungen
gibt es allerdings Abweichungen insofern, als nicht alle Bestatteten gleich ausgerichtet sind.[17] Zwischen der Ausrichtung der Bestatteten und ihrem Geschlecht
bzw. Alter ist kein Zusammenhang erkennbar (zu Einzelheiten vgl. Liste 1).

Charakteristisch für Kokêl' ist die häufige Beigabe von *Schafknochen* ins Grab.
In etwa vier Fünfteln aller Bestattungen wurde dem Toten ein Hinterfuß vom
Schaf, in einzelnen Fällen deren zwei, mitgegeben. Sie liegen meist rechts oder
links bei den Beinen der Beigesetzten, wobei beide Seitenlagen etwa gleich häufig
vorkommen. Ihre Lage, ob rechts oder links, steht in keinem Bezug zu
Geschlecht oder Alter, sie verteilt sich gleichmäßig auf Männer und Frauen aller
Altersstufen und Kinder. Weder innerhalb der Großkurgane noch in den klei-
nen Kurganen zeigt sich ein Übergewicht der einen oder anderen Seitenlage.

Von der regelhaften Deponierung eines Hinterfußes vom Schaf bei den Beinen
des Beigesetzten sondern sich jene Fälle ab, in denen andere Teile des Schafes
(Schädel bzw. Unterkiefer, Rippen, Wirbel, Fettschwanz, Kreuz, Schulterblatt,
Fußknöchel) entweder an der üblichen Stelle, d. h. bei den Beinen des Toten,[18]

---

[17] Gkg. 11 Gr. XII Mann NW, Kind W. Gr. C Frau SW, Kind W. — Gkg. 26 Gr. VI
Best. 2 Frau SW, Kind NO. Gr. XXV Mann adult oder matur SW, zweiter Mann adult
oder matur NO. — Gkg. 39 Gr. VI Frau NW, Kind N. — Gkg. 8 Gr. XXIV (Dreifachbestattung) Mann matur (Frau) NW, jüngeres Kind NW, älteres Kind SO. — Kg. 175 Gr. B
erstes Individuum NW, zweites SO.
[18] Schädel: Gkg. 11 Gr. XLV (Fragmente von fünf Schädeln). Gr. LXXVII (drei Schädel). Gr. LXXXV (ein Schädel) am Fußende außerhalb des Holztroges. Gr. CXL Best. 2
(ein Schädel). — Gkg. 26 Gr. XX (zwei Schädel übereinander). Gr. XLII (zwei Schädel).
— Gkg. 39 Gr. III (ein Schädel). Gr. XXVIII (zwei Schädel). — Gkg. 37 Gr. I (ein Schädel). Gr. VIII (ein Schädel). Gr. XXIX (ein Schädel). — Gkg. 8 Gr. IV (ein Schädel). Gr.
XIX (ein Schädel). Gr. XXV (ein Schädel). — Kg. 33 Gr. V (ein Schädel). — Kg. 56 (ein
Schädel). — Kg. 145 (ein Schädel). — Kg. 170 (Teil von Schädel). — Kg. 102 Gr. A (ein
Schädel). — Kg. 174 Best. 1 (ein Schädel). Best. 2 (ein Schädel). — Kg. 140 Gr. II (ein Schä-
del). — Kg. 133 (ein Schädel). — Kg. 99 (ein Schädel).
Rippen: Gkg. 11 Gr. CXXIX. — Kg. 4 Gr. Ia.
Fettschwanz: Kg. 12 Gr. IV (ein Fettschwanz) in Holzschüssel.
Schulterblatt: Gkg. 11 Gr. CXXIX.

oder anderswo[19] niedergelegt wurden.[20] Auffällig ist dabei, daß Schafschädel fast immer, in 24 von 27 Fällen, bei den Beinen vorgefunden wurden, während Rippen in 9 von 11 Fällen in der Kopfgegend, oft in Verbindung mit einem Holz- oder Tongefäß, auftreten. Schafhinterfüße liegen manchmal nicht bei den Beinen der Toten, sondern in der Nähe des Kopfes (Schulter oder Kopfhöhe, über dem Kopf).[21] Auffälligerweise verteilen sich solche Bestattungen im Großkurgan 11 mit einer einzigen Ausnahme auf die nördlichen zwei Drittel (Abb. 61.62).

In Kurgan 25 (Kinderbestattung) wurde ein *ganzes Schaf* neben dem Bestatteten gefunden, in Großkurgan 26 Gr. XIX Schafknochen in einem Gefäß am Fußende.

Weitaus seltener als Schafknochen sind in den šurmakzeitlichen Gräbern von Kokėl' Knochen von *Pferden* und *Ziegen* bzw. Wildziege (Abb. 61). Als weitere Arten kommen noch Maral und Elch vor, doch wurden Geweihreste dieser Wildtiere nicht in den Gräbern selbst, sondern im Füllmaterial der Grabschächte vorgefunden. Sie sind als unbrauchbar gewordenes Werkzeug und nicht im Sinne von Wegzehrung oder als Reste des Totenmahles zu deuten. Andere Arten von Haus- oder Wildtieren fehlen. Während aus dem zeitgleichen den Hunnen

---

[19] Schädel: Gkg. 39 Gr. III (einer von zwei Schädeln) außerhalb des Grabes. Gr. XXXII (ein Unterkiefer) bei Gefäß nahe Schädel des Skelettes. — Kg. 135 Gr. II (ein Schädel) am Kopfende.
Rippen: Gkg. 11 Gr. LVII (eine Rippe) neben Holzgefäß am Kopfende. Gr. XCIII (Rippen) hinter Schädel des Skelettes. Gr. CIV (zwei Rippen) über Schädel des Skelettes. Gr. CXXII (drei Rippen) neben Gefäß hinter Schädel des Skelettes. — Kg. 4 Gr. II (eine Rippe) neben Gefäß und Holzschüssel bei Schädel des Skelettes. — Kg. 7 Gr. VI (Rippen) über Schädel des Skelettes. — Kg. 32 Gr. B (zwei Rippen) bei Holzschüssel über Schädel des Skelettes. — Kg. 124 (sechs Rippen) bei Darmbein rechts. — Kg. 107 (vier Rippen) hinter Schädel des Skelettes.
Wirbel: Gkg. 11 Gr. XLI (zwei Wirbel) am Kopfende. — Gkg. 26 Gr. XXI (einige Wirbel) auf Holzbrettchen bei Schädel des Skelettes. Gr. XXXVI (drei Wirbel) auf linkem Oberarm. — Kg. 124 (Wirbel) bei Darmbein rechts.
Fettschwanz: Kg. 4 Gr. II (ein Fettschwanz) bei Schädel des Skelettes. — Kg. 12 Gr. II (ein Fettschwanz) bei Kopfende.
Kreuz: Gkg. 11 Gr. LXXXVI (ein Kreuz) hinter Schädel des Skelettes.
Schulterblatt: Gkg. 37 Gr. XIX (ein Schulterblatt) bei linker Schulter des Skelettes.
Fußknöchel: Gkg. 11 Gr. LXX (ein Fußknöchel) bei linker Schulter des Skelettes.
[20] In denselben Gräbern begegnet häufig auch noch ein Hinterfuß von Schaf in üblicher Lage.
[21] Gkg. 11 Gr. XXVI. LXV. LXVI Best. 2. LXXI Best. 2. LXXV. CV Best. 1. Best. 2. CXIII. CXIX. CXLI Best. 2. — Gkg. 26 Gr. III Best. 1.2.3.4. Gr. XV Best. 1. — Gkg. 39 Gr. VI (Doppelbestattung). VIII Best. 1. — Gkg. 8 Gr. II. — Kg. 7 Gr. III (Doppelbestattung) im durch ein Brett abgetrennten „Vorratsraum" über Schädel des Skelettes 1. — Kg. 33 Gr. A. — Kg. 175 Gr. A. — Kg. 12 Gr. I.

zugeschriebenen Gräberfeld von Dėrestuj in der Burjato-mongolischen ASSR
Rinderzucht überliefert ist,[22] fällt in Kokėl' das Fehlen jeglichen Hinweises auf
Rinderhaltung auf, was offensichtlich auf die vom Hirtennomadismus unter den
gegebenen Bedingungen geprägte Lebensweise hinweist. Pferdeknochen kommen ausschließlich als Schädel, einmal als Kiefer vor. Sie finden sich in sechs Fällen zusammen mit Schafschädeln und wurden an derselben Stelle des Grabes, bei
den Beinen oder am Fußende, deponiert.[23] Anklänge an diese Beigabensitte finden sich wiederum in Dėrestuj, wo z.B. in Gr. 9, allerdings in der Füllung des
Grabschachtes, vier Schädel von Bergschafen und darunter vier Pferdeschädel
gefunden wurden.[24] Die Beigabe von Pferdeschädeln ins Grab war eine bei den
frühen Hunnen (Hsiung-nu) weit verbreitete Sitte, wo diese partielle Niederlegung die früher übliche Bestattung ganzer Pferde ersetzte.[25] Auch bei den Ziegenknochen handelt es sich ausschließlich um Schädel.[26] Nur der Fund von
Wildziegenknochen in Gkg. 11 Gr. LII besteht aus Schwanz, Rippen und Schul-
terblättern, die sich in der SW Ecke des Grabes fanden.

Die *Verteilung* der als Besonderheiten hervorgehobenen Beigabe von Pferde-
und Schafschädeln, Ziegenknochen, Rippen bzw. Wirbel und Fettschwanz von
Schaf über das Gräberfeldareal ist nicht gleichmäßig (Abb. 61). Während in den
Großkurganen 8 und 37 von diesen Erscheinungen nur Schafschädel vertreten
sind, enthalten die beiden Großkurgane 11 und 26, die die meisten Gräber aufweisen, sämtliche Phänomene außer der Beigabe von Fettschwanz. Bei Großkurgan 11 fällt ins Auge, daß die außergewöhnlichen Beigaben sich nur auf die
nördlichen zwei Drittel der Fläche erstrecken. Auch im Großkurgan 26 sind die
Erscheinungen im äußersten Norden, bei Großkurgan 39 am Westrand konzen-
triert. Fettschwänze von Schaf sind kein einziges Mal in den Großkurganen hin-
terlegt. Alle drei Funde erscheinen im Rahmen von Männerbestattungen in kleineren Kurganen. Diese Gräber zeigen auch sonst abweichende Züge: Gr. II in
Kg. 4 (seniler Mann) enthält Hanfkörner, in den Gräbern II und IV des Kg. 12

---

[22] G.P. Sosnovskij, Das Gräberfeld von Dėrestuj (russ.), Problemy istorii dokapitali-
stičeskich obščestv, 1935, 1—2, 169; 173.
[23] Gkg. 11 Gr. XLV (Kiefer) mit fünf Lämmerschädeln. — Gkg. 26 Gr. XX mit zwei
Schafschädeln. Gr. XLIII mit Hammel-, Schaf- und Ziegenschädel. — Gkg. 39 Gr.
XXVIII mit zwei Hammelschädeln. — Kg. 33 Gr. V mit Hammelschädel. — Kg. 56
Best. 2 mit Schafschädel.
[24] Sosnovskij (Anm. 22) 169.
[25] K. Jettmar, Die frühen Steppenvölker. Kunst der Welt (1980) 146.
[26] Gkg. 26 Gr. XXX. Bei den Füßen. Gr. XLII. Zusammen mit Pferde-, Hammel- und
Schafschädel am Fußende. — Gkg. 39 Gr. XXX. Schädel und Hinterfuß bei den Beinen.

ruhen die Köpfe der maturen Männer auf steinernen Kissen. Die beiden Kurgane 4 und 12 ähneln sich auch in ihren Umrissen.

Hirse (Panicum miliaceum L.) wurde in 59 Gräbern gefunden (Abb. 62). Sie liegt mit vier Ausnahmen verstreut entweder auf dem Boden der Grabgrube[27] oder unmittelbar bei den Knochen des Skelettes. In den meisten Fällen ist ihre Lage unterhalb der Hüfthöhe,[28] weniger häufig darüber.[29] Es ergibt sich kein Bezug zwischen der Lage der Hirse und dem Geschlecht des Beigesetzten oder seinem Alter. Indes fällt auf, daß sich im Gegensatz zu den Großkurganen 11 und 26, in denen sich Hirse vorwiegend unterhalb der Hüfthöhe befand, in den Großkurganen 39 und 37 Hirse ausschließlich bei den oberen Teilen des Skelettes findet, ein Hinweis auf die Unterschiedlichkeit der Grabsitten in den einzelnen Großkurganen. Hirsekörner wurden auch zwischen den Beinen einer hölzernen anthropomorphen Figur in Gkg. 11 Gr. CXXV und in Gkg. 37 Gr. I in einem Gefäß beim Schädel des Toten gefunden sowie in Gkg. 11 Gr. II neben der Grabgrube und in Gkg. 37 Gr. XXXII über dem Skelett. Die Beigabe von Hirsekörnern stellt während des behandelten Zeitabschnittes auch in den Nachbargebieten keine Seltenheit dar. Hirse fand man sowohl im frühhunnischen Gräberfeld Il'movaja pad in Transbaikalien,[30] im hochaltaischen Kurgan Tuėkta I[31] sowie im Kokėl' zeitgleichen, der Frühphase der Taštyk-Kultur angehörenden Gräberfeld von Oglachty im Minussinsk-Gebiet.[32] Inwieweit es sich in Kokėl' um im Eigenbau gewonnenes oder durch Tausch von seßhaften Nachbarn erworbenes Gut handelt, entzieht sich unserer Kenntnis. Für die Neuzeit weiß man, daß Hirse neben Gerste, Weizen und Roggen zu den in West-Tuva bevorzugt angebauten Getreidearten zählt.[33]

---

[27] Gkg. 11 Gr. LXIII. LXVII Best. 1. CXII. CXXIII. — Gkg. 26 Gr. XLV. — Gkg. 37 Gr. II. VI. — Kg. 4 Gr. II. — Kg. 65 Gr. II.

[28] Bei Becken: Gkg. 11 Gr. X. XVI. XXVI. XXVIII. XXIX. XXXVIII. XL Best. 3. LXXIV Best. 1. XCI. CVIII. CXXII Best. 1. CXXIV. CXXXVII. CXLI. — Gkg. 26 Gr. XI Best. 1. XV Best. 2. XXIX. XXXIX. — Gkg. 8 Gr. XXIV. — Kg. 60. — Kg. 99. Bei Beinen: Gkg. 11 Gr. VII. XXII. XXXIII Best. 2. XXXVI. LXXXII. — Kg. 32.

[29] Beim Kopf: Gkg. 11 Gr. LXV. — Gkg. 26 Gr. III Best. 2. IV. XVI. — Gkg. 39 Gr. XXIII. — Gkg. 37 Gr. XI Best. 1. XXV. XXVII. XXIX. — Gkg. 8 Gr. I. VI. Bei Hals oder Schulter: Gkg. 11 Gr. CIII. — Gkg. 37 Gr. XVI Best. 2. Bei Armen: Gkg. 11 Gr. XII. — Gkg. 37 Gr. XVIII. — Kg. 12 Gr. III. Bei Brustwirbeln und Rippen: Gkg. 11 Gr. LIX Best. 2. CXXXV. — Gkg. 39 Gr. III.

[30] Sosnovskij (Anm. 22) 173.

[31] Jettmar (Anm. 25) 128.

[32] A.M. Tallgren, The South Siberian cemetary of Oglakty from the Han period. Eurasia septentrionalis antiqua 11, 1937, 81.

[33] W. Leimbach, Landeskunde von Tuva. Das Gebiet des Jenissei-Oberlaufes. Ergänzungsheft 222 zu „Petermanns Mitteilungen", 1936, 77f. — Vgl. auch L.P. Potapov, in: Trudy Tuvinskoj kompleksnoj archeologo-ėtnografičeskoj ėkspedicii 1 (1960) 190.

Drei Gräber enthielten *Hanf*körner (Cannabis sativa L.): Kg. 4 Gr. II (senile Frau), Kg. 7 Gr. III Skelett 2 (adulter oder maturer Mann) und Kg. 68 (adulter Mann) (Abb. 62). Der Hanf befand sich am Boden der Grabgrube (Kg. 4 Gr. II), unter dem Schädel des Skelettes 2 in Kg. 7 Gr. III und bei Brust und Beinen des Bestatteten in Kg. 68. — Hanf, dessen berauschende und halluzinogene Wirkung bereits den Skythen bekannt war und bei ihnen anläßlich der Bestattungszeremonien Verwendung fand,[34] ist auch aus Grabfunden des Hochaltai überliefert. Hier fand man in Pazyryk zwei Metallgefäße, wovon eines, ein bronzenes in Kesselform und mit Steinen gefüllt, teils angekohlte Hanfsamen enthielt. Das andere Gefäß war eine Pfanne.[35] Zusammen mit ihr fand man Holzstäbchen. Sie dienten zum Aufbau eines kleinen Zeltes, das mit einer Decke abgedichtet als Inhalationsraum für die durch Verglühen des Hanfes erzeugten Dämpfe diente.[36] Solche aus Holzstäbchen bestehende Räuchergarnituren sind auch aus den gleichfalls hochaltaischen Kurganen Bašadar II und Tuėkta I bekannt.[37] — Der Gebrauch von Hanf als Rauschmittel kann in unserem Fall anhand der Beifunde (es fehlen sowohl Holzstäbchen als auch entsprechende Gefäße) nicht nachgewiesen werden. Auf die möglicherweise gehobene soziale Stellung eines der Bestatteten, in deren Gräbern Hanf gefunden wurde, weisen die Tiefe des Grabes (2,20—2,30 m) sowie das Vorkommen von neun Pfeilspitzen hin (Kg. 68), während sich bei den beiden anderen Kurganen keine entsprechenden Indizien ausmachen lassen.

Nach vielen Anzeichen wurden die Verstorbenen in ihrer *Kleidung* beigesetzt. Diese war vorwiegend aus Leder, seltener Wollgewebe oder Fell (ohne Angabe, um welches Tier es sich handelt). In einem Grab (Kg. 65 Gr. IX) fand sich Filz als Teil der Kopfbedeckung. Bei den erhaltenen Lederresten geht es nach Fundlage und Aussehen vornehmlich um Fußbekleidung, um Teile der Kopfbedeckung oder um Bekleidung in Form von Hosen; indes belegen auf den Rippen erhaltene Lederreste, daß Lederbekleidung auch am Oberkörper getragen wurde. Eine Lederquaste (in Gkg. 11 Gr. XXXIV) wurde als Teil der Kopfbedeckung erkannt; in Gkg. 26 Gr. XLI und Gkg. 8 Gr. VIII fand man noch Nähte an den ledernen Hosenresten.

---

[34] K. Birket-Smith, Geschichte der Kultur (1946) 131. — M. Eliade, Schamanismus und archaische Ekstasetechnik (1975) 376: „Man warf Hanf auf erhitzte Steine und atmete den Rauch ein." — A. Kollautz, Der Schamanismus der Awaren in: New studies in ancient Eurasian history (Festschrift J. Kostrzewski) Osaka (1955) 64.

[35] Jettmar (Anm. 25) 106 Abb. 83 und 84.

[36] M. Grjasnov, Südsibirien. Archaeologia mundi (1981) 108 Abb. 78.

[37] Jettmar (Anm. 25) 120; 124.

Beigabenausstattung

Für die Beigabenausstattung der šurmakzeitlichen Gräber von Kokėl' bietet sich anhand der Angaben im Textteil des Forschungsberichtes und der teilweisen bildlichen Wiedergabe der Fundlage einzelner Gegenstände sowohl die Möglichkeit, Charakteristika in der Zusammensetzung typischer Männer- bzw. Frauenbestattungen auszumachen als auch die Lage des Fundgutes im Grab festzustellen.

Außer beiden Geschlechtern gemeinsamen Gegenständen wie Keramik und Messer finden sich *geschlechtsspezifische* Beigaben. Bei Männern sind dies vor allem Waffen, bei Frauen Holzschachteln mit für ihr Geschlecht typischem Gerät und Spiegelfragmenten. Über die Zusammensetzung der einzelnen Grabinventare informiert die Liste 2.

Von *Bögen* sind beinerne Auflagen und kleinere Holzteile überliefert. Sie wurden in 64 Gräbern, darunter einem Kenotaph (Gkg. 11 Gr. LV) gefunden und stammen, soweit anthropologische Bestimmungen vorliegen, aus Männergräbern; nur ein Grab, in dem außer Bogenresten auch Pfeilspitzen gefunden wurden, enthält ein Frauenskelett (Gkg. 26 Gr. X). Kein einziges Mal wurde Kindern ein Bogen ins Grab gegeben. Die Lage der Bögen läßt sich anhand der spärlich erhaltenen Reste nicht genau ermitteln, es hat indes den Anschein, sie seien überwiegend quer über den Körper des Toten, und zwar in den meisten Fällen über den unteren Teil des Körpers, über Becken und Beine, gelegt worden. Seitenlagen links oder rechts vom Bestatteten kommen weniger häufig vor. Siebenmal werden Angaben zur vermutlichen ursprünglichen Länge der Bögen gemacht: Gkg. 11 Gr. V (0,80 m), Gr. VII (0,60 m), Gr. XX (0,96 m), Gr. XXVII (1,15 m). — Gkg. 26 Gr. XXVI (0,95 m). — Gkg. 39 Gr. II Best. B (0,80 m). — Kg. 7 Gr. IV (1,15 m).

Köcher sind nur sechsmal (davon einer unsicher) mehr oder weniger ganz erhalten geblieben. Ihr Vorkommen wird in den meisten Fällen durch das Vorhandensein von Eisenhaken oder Holzböden, einmal durch Beschläge, belegt. Köcher oder ihre Reste sind in 51 Gräbern überliefert. Meist treten sie mit Bögen vergesellschaftet auf. Indes spielt auch hier die Vergänglichkeit des Materials eine Rolle. Die erhaltenen Reste reichen in den wenigsten Fällen dazu aus, Genaueres über die Stelle ihrer Niederlegung auszusagen. Soweit erkennbar, wurden sie meist in Hüfthöhe deponiert, wobei sie sowohl auf der linken (häufi-

ger) als auch auf der rechten Seite des Bestatteten sowie über dem Körper lagen
(Haken und Böden wurden oft zwischen den Beinen, den Ober- und Unterschenkeln gefunden). Ausnahmsweise befanden sich Köcherreste beim Kopfende des Toten.[1] Dabei fällt auf, daß sich in Kurgen 7 von drei nachgewiesenen
Köchern zwei in dieser Lage fanden.

Ebensowenig wie bei den Köchern bevorzugte Stellen für ihre Niederlegung
im Grab im Verhältnis zum Verstorbenen feststellbar sind, ist dies bei den *eisernen Pfeilspitzen*[2] der Fall. Sie wurden in 206 Gräbern, häufig zusammen mit
Köchern in über das ganze Grab verstreuten Lagen nachgewiesen. Oft findet
man sie in ein und demselben Grab an verschiedenen Stellen. Eiserne Pfeilspitzen wurden vornehmlich bei der unteren Körperhälfte der Bestatteten, d. h. bei
Becken und den Beinen, seltener bei den Armen oder Schultern, nur ausnahmsweise beim Schädel gefunden. Sie lagen etwa gleichmäßig häufig rechts oder
links vom Skelett. Irgendwelche Regelhaftigkeiten bezüglich der Niederlegung
konnten innerhalb der Großkurgane nicht festgestellt werden, doch zeigt sich
beim Vergleich der Großkurgane 11 und 26, daß sich bei diesem die Lagen über-
und unterhalb der Hüfthöhe etwa die Waage halten, während im Großkurgan
11 die Deponierung unterhalb der Hüfthöhe überwiegt. Der einzige Fund einer
eisernen Pfeilspitze außerhalb der Grabgrube wurde bei Kg. 56 Best. 1 beobachtet, wo sie sich auf den Brettern befand, die das Grab abdeckten. Mit wenigen
Ausnahmen kommen eiserne Pfeilspitzen als rituelle Beigabe nur in Männergräbern vor.[3]

Einen Sonderfall bildet die mehrmals angetroffene Erscheinung, daß Pfeilspitzen nicht zur Totenausstattung gehören, sondern anhand ihrer Fundlage am
Skelett als Todesursache des bestatteten Individuums anzusprechen sind. Fälle,

---

[1] Gkg. 11 Gr. IV B. — Kg. 7 Gr. II und III. — Kg. 33 Gr. B.

[2] Die weitaus überwiegende Zahl der Pfeilspitzen ist aus Eisen, nur vereinzelt kommen Exemplare aus Holz, Bronze oder Bein vor.

[3] In Frauengräbern: Gkg. 26 Gr. X. — Gkg. 37 Gr. XXXII. — Gkg. 8 Gr. VI. — Kg. 56
Best. 1.
In Kindergräbern: Gkg. 11 Gr. XXIX (7—8 Jahre). Gr. CVII Best. 1.2.3. — Gkg. 26 Gr.
XVIII (1—1 1/2 Jahre). — Gkg. 37 Gr. XV (3—4 Jahre). Gr. XVI (8—9 Jahre).
In Grab, das anthropologisch als Männer-, archäologisch als Frauengrab bestimmt wur-
de: Gkg. 8 Gr. XXIV (Dreifachbestattung: ein erwachsenes Individuum und zwei Kin-
der) beim Erwachsenen.
In Gräbern, die anthropologisch als Frauen-, archäologisch als Männergräber bestimmt
wurden: Gkg. 11 Gr. XIV. XV. XVI. XVII. — Gkg. 39 Gr. XLII. — Gkg. 37 Gr. XIV.
XXXI. — Kg. 65 Gr. I. — Kg. 12 Gr. III.
In Kenotaphen: Gkg. 11 Gr. LV. — Gkg. 8 Gr. XI.

die eine solche Interpretation nahelegen, sind für eiserne Pfeilspitzen in Kg. 7 Gr. III (Doppelbestattung) — Pfeilspitze steckt im Brustwirbel des männlichen Skeletts 1 —, in Gkg. 39 Gr. XLVI und Gkg. 37 Gr. XI Best. 3 — Pfeilspitzen zwischen den Rippen eines Mannes bzw. Kindes — gegeben. Sicherlich ist auch der hölzerne Pfeilschaft im Schädel einer Frau in Gkg. 37 Gr. XI Best. 2 so zu deuten.

Anders als bei den eisernen Pfeilspitzen, die anhand ihrer Fundlage nur ausnahmsweise als Todesursache gedeutet werden können, verhält es sich mit den Beobachtungen zur Lage *beinerner Pfeilspitzen*. Sie kommen nur in zwölf Gräbern vor und bleiben damit zahlenmäßig weit hinter den eisernen zurück. Während eiserne Pfeilspitzen meist in mehreren Exemplaren auftreten, fällt auf, daß beinerne nur in zwei Fällen[4] zu je zwei Stück in einem Grab, in den restlichen zehn Gräbern aber einzeln vorkommen. Dabei ist bemerkenswert, daß sie in neun Fällen eindeutig[5] oder vermutlich[6] als Todesursache der Bestatteten anzusehen sind. Dies ergibt sich daraus, daß sie entweder direkt in den Knochen der Bestatteten stecken oder anhand der Fundlage auf eine Verwundung mit tödlichem Ausgang hinweisen. Nur in drei Fällen kann dies ausgeschlossen werden.[7] Acht von zwölf Gräbern mit beinernen enthalten auch noch eiserne Pfeilspitzen an den für Pfeilspitzen als rituelle Beigabe üblichen Stellen. Ohne eiserne Pfeilspitzen sind lediglich ein Frauen- und ein Männergrab[9] sowie eine Doppel-[10] bzw. eine Dreifachbestattung.[11]

Beinerne Pfeilspitzen sind während der Šurmakzeit in der Steppenzone Tuvas eine seltene Form, wogegen sie für die nördlich angrenzenden Waldgebiete des Minussinsker Beckens in der der tuvinischen Šurmak-Kultur zeitgleichen

---

[4] Gkg. 8 Gr. III. — Kg. 34 Gr. II.

[5] Gkg. 11 Gr. XXIV (Doppelbestattung: Geschlecht unbestimmt. In Darmbein rechts). Gr. LXVI Best. 1 (Männergrab. Zwischen Rippen). — Gkg. 37 Gr. XXIII Best. B (Männergrab. Zwischen Rippen). — Gkg 8 Gr. III (Männergrab. Eine Pfeilspitze zwischen Brustwirbeln, eine in Darmbein links).

[6] Gkg. 11 Gr. XXXIII B (Männergrab. Zwischen Rippen). — Gkg. 26 Gr. XXV (Männergrab. Bei Brustwirbel). — Gkg. 39 Gr. XXXIV (Männergrab. Bei linkem Schulterblatt). Gr. XLVI (Männergrab. Zwischen Rippen). — Kg. 33 Gr. A (Dreifachbestattung: Mann und zwei Kinder. Bei Brustwirbeln des Mannes).

[7] Gkg. 39 Gr. VI (Doppelbestattung: Frau und Kind. Bei Darmbein der Frau). — Gkg. 37 Gr. XXIX (Männergrab. Unter rechter Handfläche). — Kg. 34 Gr. II (Doppelbestattung: Frau und Kind. Zwei Stück auf linkem Fuß der Frau).

[8] Gkg. 39 Gr. VI.

[9] Gkg. 8 Gr. III.

[10] Kg. 34 Gr. II (Frau und Kind).

[11] Kg. 33 Gr. A (Mann und zwei Kinder).

Taštyk-Epoche geradezu charakteristisch sind.[12] Die Auffassung, beinerne Pfeilspitzen hätten als Jagd- und nicht als Kampfwaffen gedient und aus ihrem Vorkommen bei den Trägern der Taštyk-Kultur könne man auf deren friedliche
Lebensart schließen, wird durch die Befunde in Kokêl' modifiziert.[13] Der Nachweis von Verwundungen mit beinernen Pfeilspitzen ist außerdem in Tuva noch
aus der Nekropole beim Berg Syyn-Čjurek, Kurgan 34 (beinerne Pfeilspitze zwischen den Rippen) sowie aus Mariental an der Wolga, Kurgan D 21 (Pfeilspitze
tief im Oberschenkel) erbracht.[14] Beinerne Pfeilspitzen als Todesursache sind in
Kokêl' wohl als eindeutiger Hinweis auf kämpferische Auseinandersetzungen
zwischen den Trägern der Šurmak- und der Taštyk-Kultur zu werten.

Bronzene Pfeilspitzen sind durch einige Exemplare, ausschließlich aus den
Großkurganen 11, 26 und 39 überliefert, *hölzerne* aus den Großkurganen 11 und
26 sowie aus zwei Kleinkurganen. Bei letzteren muß man wegen der Vergänglichkeit des Materials sicherlich mit Überlieferungslücken rechnen. Auch diese
beiden Pfeilspitzengattungen finden sich in den Gräbern in den für eiserne Pfeilspitzen üblichen Lagen, d.h. vorwiegend am Unterteil des Körpers rechts oder
links vom Bestatteten. Hinweise für eine der Ritualbeigabe widersprechende
Funktion liegen nicht vor. Bei den hölzernen, die stumpf gestaltet sind, wird es
sich wohl um Waffen zur Jagd auf Pelztiere handeln, da sie zwar geeignet sind,
das Tier zu töten bzw. seine Kochen zu brechen, das Fell jedoch unversehrt
bleibt. Eine solche Jagdart, das Erlegen von Pelztieren mit Pfeilen statt der Flin-
te, wurde bis in die Neuzeit von den nordtuvinischen Todschanern ausgeübt.[15]

Lanzenspitzen, die in 72 Gräbern in 75 Exemplaren vorkommen,[16] verteilen

---

12 L.R. Kyzlasov, Taštykskaja epocha v istorii chakassko-minusinskoj kotloviny (1960)
86, 139.
13 Vgl. auch J.S. Chudjakov, Über die Bewaffnung des Taštykkriegers (russ.) in: Drevnie kul'tury Altaja i zapadnoj Sibiri (1978) 167f.
14 Für Syyn-Čjurek: S.I. Vajnštejn, Einige Ergebnisse der Arbeiten der Archäologischen Expedition des Tuvinischen Wiss. Forschungsinstituts für Sprache, Literatur und
Geschichte in den Jahren 1956—57 (russ.): Učenye Zapiski Tuv. nauč.-issled. instituta
jazyka, literatury i istorii Kyzyl 6, 1958, 225.
Für Mariental: A.M. Chazanov, Očerki voennogo dela sarmatov (1971) 42. Zitiert nach
T.A. Gabuev, Beinerne Pfeilspitzen aus der Siedlung Džety-Asar 2, Sov. Arch. 1982,
2, 235.
15 W. Leimbach, Landeskunde von Tuva. Das Gebiet des Jenissei-Oberlaufes. Ergänzungsheft 222 zu „Petermanns Mitteilungen" 1936, 66.
16 Die Gräber Gkg. 11 Gr. XLIX, Gkg. 37 Gr. VII und Kg. 12 Gr. II enthalten je zwei
Lanzenspitzen. — Bei den Exemplaren aus Gkg. 11 Gr. CII Best. 1 und Gr. CXXIII
sowie Gkg. 37 Gr. XIV ist die Bestimmung als Lanzenspitze unsicher.

sich auf Männer-[17] und Frauengräber,[18] ein Kindergrab[19] sowie ein Kenotaph.[20] Bezüglich der Lageverhältnisse konnte festgestellt werden, daß die Lanzen in nahezu drei Vierteln der Fälle so ins Grab gelegt wurden, daß die eiserne Spitze am Oberteil (bei Schädel, Schultern, Oberarm) des Bestatteten lag, seltener bei Darmbein, Oberschenkel oder anderen Stellen unterhalb der Hüfthöhe. Die Lagen links vom Bestatteten halten in etwa die Waage mit jenen, wo sich die Lanzenspitzen rechts von Verstorbenen befanden.

Der Umstand, daß Lanzenspitzen als typische Nahkampfwaffe dort, wo Angaben zum Alter bestehen, 2mal bei senilen,19mal bei maturen und 14mal bei adulten Männern gefunden wurden, was etwa der Altersstruktur der in Kokél' bestatteten Männer entspricht, steht im Gegensatz zur Annahme, die Verteidigungsrolle wäre einer bestimmten Altersgruppe, sei es kampferprobter (maturer) oder beweglicherer (adulter) Personen vorbehalten gewesen.

Gräber, die Lanzenspitzen enthalten, heben sich dadurch hervor, daß in ihnen, die rund ein Drittel[21] der Waffengräber ausmachen, mehr als die Hälfte der als Ritualnachbildungen angefertigten hölzernen Schwertmodelle anzutreffen sind.[22]

Während Pfeilspitzen, die neben dem Kampf der Jagd dienten, selbst in Kindergräbern nicht selten sind,[23] wurden die Nahkampfwaffen *Schwerter*[24] und *Dolche*[25] ausschließlich in Gräbern von Männern angetroffen, deren Altersbestimmung von adult bis senil reicht. Sie sind aus Eisen gefertigt. Die Lage der Schwerter ist viermal links, zweimal rechts vom Verstorbenen, je einmal zwischen den Oberschenkeln und am Becken. Eiserne Dolche, in beiden Fällen mit hölzerner Scheide, liegen zwischen den Handflächen bzw. beim linken Ellbogen. Es fällt auf, daß von den acht Schwertern sechs in Großkurgan 11 gefunden

---

[17] Vorwiegend Gräber mit Männern maturen Alters. Näheres darüber in Abschnitt „Soziale Verhältnisse".

[18] Als eindeutiges Frauengrab gilt Gkg. 26 Gr. XIX. In vier Fällen wurde das Skelett anthropologisch Frauen zugeordnet, archäologisch indes, wohl wegen der beigegebenen Lanzenspitze, als Männerbestattung angesehen (Gkg. 11 Gr. XVI, Gkg. 39 Gr. XLII, Gkg. 37 Gr. XIV und Kg. 12 Gr. III).

[19] Gkg. 26 Gr. XVIII.

[20] Gkg. 8 Gr. XI.

[21] 72 Gräber enthalten Lanzenspitzen.

[22] 29 von insgesamt 55 Stück.

[23] Siehe Anm. 3.

[24] Aus acht Gräbern: Gkg. 11 Gr. IV B. XXVII (unsicher). XL Best. 2. XLVI. LIV Best. 1. CVI Best. 2. — Gkg. 26 Gr. XLI. — Kg. 9 (unsicher).

[25] Aus zwei Gräbern: Gkg. 11 Gr. III. — Gkg. 26 Gr. XXXIX.

wurden. Bezeichnenderweise sind beide Dolche außer mit Pfeilspitzen als „Standardausrüstung" (die in fast keinem Waffengrab fehlt) mit je einem hölzernen Schwertmodell vergesellschaftet.

Hölzerne Schwert- und *Dolchmodelle* als rituelle Nachahmungen von Waffen bilden ein regionales Spezifikum, dessen Verbreitungsgebiet auf die Flachgräber der mittleren Jenissei-Region der frühen Taštykzeit (1. Jahrhundert vor bis 1. Jahrhundert nach Chr.) und auf das westliche Tuva beschränkt bleibt.[26] Gute Entsprechungen für die in Kokėl' vorgefundenen Stücke finden sich in dem etwa 60 Kilometer nördlich von Minussinsk gelegenen, der Taštyk-Kultur zugehörigen Gräberfeld Oglachty. Hier fand man in den Flachgräbern 2 und 7 je ein hölzernes Schwert- und Dolchmodell.[27] Kyzlasov[28] sieht darin, ähnlich der Beigabe von Miniaturgerätschaften, einen seit der der Taštyk- vorausgehenden Spät-Tagarzeit geübten Brauch, Gegenstände durch Kleinausführungen oder Anfertigung aus anderem Material zu ersetzen. Bei den Schwertmodellen trifft beides zu: ihre Maße blieben hinter jenen, die sie ersetzen, zurück,[29] und auch das Material entspricht nicht den Vorlagen. Nach Kyzlasov[30] ist die paarweise Beigabe von Schwert- bzw. Dolchmodellen die Regel; fände man Einzelstücke, sei das auf schlechte Erhaltungsbedingungen zurückzuführen. Dies konnte in Kokėl' nicht bestätigt werden. Von den 43 Gräbern mit Modellen von Schwertern enthalten nur elf[31] mehr als ein Stück. Die hölzernen Scheiden der Schwertmodelle sind oft mit geschnitzten Zickzack- und Tannenzweigmustern verziert. Oft zeigen sie Spuren roter, seltener schwarzer Bemalung. Die Handgriffe tragen Rillen zur leichteren Handhabung. Von den 32 in Gräbern einzeln gefundenen Schwertmodellen liegt die Mehrzahl links vom Bestatteten (16mal), einige rechts (7mal) bzw. an anderen Stellen (9mal). Bei den zehn Gräbern mit paarweiser Beigabe von Schwertmodellen fanden sich in vier Fällen beide Holzschwerter links vom Bestatteten, einmal lagen beide rechts, einmal eines links, das andere zwischen den Oberschenkeln, gleichfalls einmal eines links, das andere zwischen den Unterschenkeln. In zwei Gräbern lag je ein Schwert auf der linken, das

---

[26] L. R. Kyzlasov, Drevnjaja Tuva (1979) 110.

[27] Kyzlasov (Anm. 12) 112. — A. M. Tallgren, The South Siberian cemetary of Oglakty from the Han period. Eurasia septentrionalis antiqua 11, 1937, 83 Abb. 16—19.

[28] Kyzlasov (Anm. 12) 112.

[29] Gkg. 11 Gr. XX 30 cm. Gr. XLVI 70 cm. — Gkg. 39 Gr. II Best. B 48 cm. — Kg. 40 29 cm.

[30] Kyzlasov (Anm. 26) 110.

[31] Zehn Gräber mit je zwei Stück: Gkg. 11 Gr. XVI. XX. XXVII. LX. — Gkg. 39 Gr. XLI. — Kg. 32 Gr. A. — Kg. 32 Gr. B. — Kg. 174 Best. A. — Kg. 145. — Kg. 102 Gr. B. — Ein Grab drei Stück: Gkg. 11 Gr. XL Best. 3.

andere auf der rechten Seite, zwei Schwertmodelle lagen zwischen dislozierten Knochen. In Großkurgan 11 Gr. XL Best. 3 lagen alle drei Holzmodelle rechts vom Bestatteten. Mit Ausnahme des Grabes Gkg. 26 Gr. XLV Best. 2, in dem ein hölzernes Schwertmodell zwischen den Beinen einer maturen Frau lag, fanden sich alle anderen, soweit gesicherte Geschlechts- und Altersangaben vorliegen, in Gräbern männlicher Verstorbener adulten (9) oder maturen (10) Alters. Die Beigabe eines Schwertmodelles in ein Kindergrab ist in Kokėl' nicht überliefert.

Die elf *hölzernen Dolchmodelle* aus elf Gräbern fanden sich viermal[32] mit hölzernen Schwertmodellen vergesellschaftet. Ihre Deponierung entspricht der Tragweise: sie befinden sich meist in der Beckengegend, wobei Positionen sowohl an der linken als auch an der rechten Flanke vorkommen. Auch sie sind eine für Männer typische Fundgattung; lediglich Kg. 12 Gr. III wurde anthropologisch als Frauen-, von archäologischer Seite als Männerbestattung bestimmt.

In zwanzig Gräbern fand man *hölzerne Bogenmodelle*. Auch sie gehören zu den rituellen Nachbildungen. Sie unterscheiden sich durch das Fehlen beinerner Auflagen von den „hunnischen" Bögen. Auffällig häufig treten sie in Verbindung mit hölzernen Schwertmodellen auf.[33] Berücksichtigt man, ähnlich wie bei den hölzernen Dolchen, den eventuellen Verlust mancher Exemplare durch ungünstige Erhaltungsbedingungen, so kann man von regelrechten Garnituren von Waffenmodellen sprechen. Ihre Lage entspricht jener der „echten" Bögen, d. h., sie befinden sich in Becken- und Oberschenkelhöhe rechts oder links bzw. schräg über den Körper gelegt. Eine Größenangabe findet sich nur für das Bogenmodell aus Gkg. 26 Gr. XIII: 70 cm. Bogenmodelle findet man, soweit Angaben vorliegen, in überwiegender Zahl in Bestattungen von Männern in maturem Alter (7mal); je ein Bogenmodell fand sich bei einem männlichen Verstorbenen in adultem bzw. adulten oder maturen Alters, lediglich eines neben einem Sechzehn- bis Siebzehnjährigen.

Aus den Befunden in Kokėl' lassen sich keine Regelhaftigkeiten bezüglich der Bewaffnungsstruktur ableiten. Das fast allen Waffengräbern gemeinsame Merkmal ist das Vorkommen von Pfeilspitzen, die mit allen übrigen Waffenarten bzw. deren Modellen zusammengehen. Bezüglich der Bevorzugung bestimmter Altersgruppen bestehen gewisse Präferenzen: bei der Beigabe von Lanzenspitzen und hölzernen Bogenmodellen werden Männer fortgeschrittenen Alters bevor-

---

[32] Gkg. 26 Gr. XLV Best. 2. — Kg. 12 Gr. III. — Kg. 32 Gr. B. — Kg 145.
[33] Gkg. 11 Gr. XL Best. 2. Gr. CXX. — Gkg. 39 Gr. XLI. — Kg. 175 Gr. B. — Kg. 102. — Kg. 174 Best. A.

zugt. Auch Frauen bekommen gelegentlich Gegenstände der Bewaffnung mit ins Grab.

Bezeichnenderweise kommt in Kokėl' kein einziges Stück aus der Gattung der Schutzwaffen vor.

Von *Tracht-* und *Schmuck*bestandteilen bilden Schnallen die anteilsmäßig stärkste Gruppe. Die Beurteilungsmöglichkeit der Befunde wird indes dadurch stark beeinträchtigt, daß im Forschungsbericht sowohl *Schnallen* im eigentlichen Sinne als auch *schnallenartige Gürtelglieder* als prjažka bezeichnet werden, was eine Unterscheidung aus dem Text heraus nicht zuläßt.[34] Nur ein Bruchteil der als prjažka bezeichneten Gegenstände ist abgebildet. Deshalb können nur die abgebildeten Schnallen in unserer Untersuchung berücksichtigt werden. Ihre Chronologie wird an späterer Stelle behandelt. Hier geht es zunächst um ihre Lageverhältnisse und die Frage der geschlechtlichen Zuordnung der verschiedenen Typen.

Die sechs im šurmakzeitlichen Kokėl' ausgesonderten Schnellentypen[35] sind mit zwei Ausnahmen[36] aus Eisen gefertigt. Sie liegen in der Regel in der Beckengegend, in der Mitte, links oder rechts. Schnallen wurden sowohl bei Männer- und Frauen- als auch bei Kinderbestattungen angetroffen. Eine Beschränkung einzelner Typen auf eines der beiden Geschlechter ist nicht festzustellen, doch fällt der hohe Anteil in Männergräbern auf; das muß jedoch vor dem Hintergrund der Überrepräsentiertheit männlicher Bestattungen in Kokėl' gesehen werden.

Außer Schnallen, die zur Tracht gehören und vornehmlich praktischen Zwekken dienen, fand man in Kokėl' auch Schmuckgegenstände wie *Ohr-* und *Halsringe, Halsgehänge, Perlen* sowie einige andere, zumeist bruchstückartig erhaltene Gegenstände, deren Bestimmung unklar bleibt. Im weiteren Sinne zählen dazu auch *Anhänger,* viele von ihnen wohl in Amulettfunktion, sowie Funde von *Goldfolie,* mit der gelegentlich Holzgegenstände überzogen sind. Die meisten der Gegenstände sind nicht abgebildet, so daß eine Beurteilung der Form nicht möglich ist.

Die *Ohrringe* sind aus Gold[37] oder Bronze[38] angefertigt; in zwei Fällen[39] fehlen

---

[34] So ist z.B. bei Gkg. 11 Gr. XV von vierzehn „Schnallen" die Rede, die in Beckengegend, bei Oberschenkel und Kreuz gefunden wurden.

[35] Mehr darüber im Abschnitt Chronologie.

[36] Aus Bronze: Typ b: Gkg. 26 Gr. XXX. Typ c: Gkg. 11 Gr. LXVI. (Berücksichtigt wurden nur die abgebildeten Exemplare).

[37] Gkg. 26 Gr. XXXVIII Best. 1 (Mann, senil). Gr. XXXVIII Best. 2 (zwei Stück in Doppelbestattung adulter Frau mit Kind; gefunden bei linkem und rechtem Ohr der

Angaben zum Material. Meist wurden sie einzeln, zweimal paarweise beigegeben. Ihre Lage entspricht der Tragweise, d. h., sie befinden sich, soweit Angaben
darüber vorliegen, beim Schädel rechts oder links. Ohrringe gehören sowohl zur
Männer- als auch zur Frauentracht; die Sitte indes, zwei Ohrringe zu tragen, ist
auf das weibliche Geschlecht beschränkt. Auch *Halsringe* bzw. *Halsgehänge*
gehören zu den selteneren Funden. Sie sind aus Gold[40] oder Bronze[41] (oder es
fehlen Angaben zum Metall[42]) und sind, soweit dem Text zu entnehmen ist, tordiert oder spiralförmig gestaltet. Sie kommen bei Männer- und Frauenbestattungen vor, wo sie in situ gefunden wurden. Die fünf goldenen Halsringe bzw. -
gehänge stammen ausschließlich aus Männergräbern; von den vier bronzenen
Halsringen wurden drei bei Frauenbestattungen gefunden, nur einer in einem
Männergrab.

Perlen kommen meist einzeln vor, einige Male doppelt, nur in zwei Gräbern[43]
in drei Stücken. Sie sind aus hellblauer Glaspaste,[44] aus Bronze[45] oder Chalzedon[46]; bei einigen fehlen Angaben zum Material.[47] Sie wurden immer beim Schädel (Schläfe, Unterkiefer, Halswirbel) oder in Kopfnähe (Schlüsselbein) gefunden. Vertreten sind sie sowohl in Gräbern Erwachsener beiderlei Geschlechtes
als auch in Kinderbestattungen.

Das Gräberfeld erbrachte *Anhänger* aus verschiedenem Material in unter-

---

Frau). — Gkg. 39 Gr. XXXIII (Mann, matur). — Gkg. 37 Gr. XXIX (Mann, matur). —
Kg. 32 Gr. V (zwei Stück, Frau).
[38] Gkg. 11 Gr. I (Dreifachbestattung Mann, Frau und Kind; gefunden bei Schläfe der
Frau). Gr. XXXII (Kind 9—10 Jahre oder junger Mann). Gr. CXXV (Mann, adult). —
Gkg. 37 Gr. II (Geschlecht und Alter unbestimmt).
[39] Gkg. 39 Gr. XXXI Best. 1 (nach anthrop. Bestimmung Mann, archäol. Frau). Gr.
XLI (Mann, matur).
[40] Gkg. 11 Gr. III (Mann, matur). Gr. XL Best. 3 (Mann). Gr. XLVI (Mann, matur). —
Gkg. 26 Gr. XLI (Mann). — Gkg. 37 Gr. XXIX (Mann, matur).
[41] Gkg. 39 Gr. XII (Mann, senil). Gr. XXV (Doppelbestattung Frau und Kind; gefunden beim Unterkiefer der Frau). — Kg. 65 Gr. VI (Frau, matur).
[42] Gkg. 39 Gr. XXXVIII Best. B (Frau). — Gkg. 37 Gr. XXXIII Best. B (Mann, adult).
[43] Gkg. 11 Gr. XCI (Geschlecht und Alter unbestimmt). — Kg. 173 (Frau, adult).
[44] Gkg. 11 Gr. LXXVII (Frau, adult). Gr. XCI zwei Stück (Geschlecht und Alter
unbestimmt). Gr. CVI Best. 2 (Mann). Gr. CXXVIII Best. 2 zwei Stück (Frau, matur). —
Gkg. 8 Gr. XIII (Mann, matur). Gr. XXIV (Dreifachbestattung, nach anthrop. Bestimmung Mann, matur, archäol. Frau, und zwei Kinder; gefunden bei Schädel des jüngeren
Kindes [3—5 Jahre]). — Kg. 140 Gr. I (Kind, 11—12 Jahre).
[45] Gkg. 11 Gr. XC (Geschlecht und Alter unbestimmt).
[46] Gkg. 11 Gr. XCI (Geschlecht und Alter unbestimmt).
[47] Gkg. 26 Gr. I Best. 1 zwei Stück (Kind). — Gkg. 39 Gr. XIV (Frau, matur). Gr.
XXIII (Frau, adult). Gr. XXVII (Kind, 3—4 Jahre). — Gkg. 8 Gr. VII (Geschlecht und
Alter unbestimmt). — Kg. 173 drei Stück (Frau, adult).

schiedlichen Formen. Am häufigsten sind Anhänger aus Bronze.[48] Einige bestehen aus Bein[49] oder aus Maralzähnen[50] bzw. deren Nachbildung aus Stein,[51] aus Glas,[52] Gold[53] oder einer Muschel.[54] Die nur in zwei Kindergräbern gefundenen bronzenen Miniaturnachbildungen „skythischer" Kessel[55] lagen in Brusthöhe. Jene aus Gkg. 11 Gr. XXVIII waren mit Wollfäden an der Lederkleidung befestigt. Solche bronzene Miniaturkessel (Höhe 2,5—3,0 cm) sind als Anhänger, wahrscheinlich in Amulettfunktion, seit der frühen Taštykzeit, d. h. seit dem 1. Jahrhundert v. Chr., im Minussinsker Becken am mittleren Jenissei bekannt.[56] Kyzlasov[57] lokalisiert ihre Entstehung in dieses Gebiet und sieht in analogen Funden westlich, am oberen Ob und der unteren Wolga, wo in Kurgan V 4 von Torgun, Grabung 1924, ein 3 cm hohes Exemplar gefunden wurde,[58] Einflüsse aus dem Bereich der Taštyk-Kultur.

Goldfolie wird im Gräberfeld in Form einzelner Blättchen[59] oder als Überzug auf Gegenständen gefunden, so auf einem pyramidenförmigen Holzgebilde[60] oder anderen Holzgegenständen[61] bzw. einer gerippten eisernen Röhre.[62]

Bei den einzelnen Folien wäre wohl an Kleiderzierrat zu denken. Die beiden Goldbleche (Abb. 35, B 2.5) aus der Bestattung eines senilen Mannes in Gkg. 26

---

[48] Bei den meisten wird die Form nicht angeführt. — Gkg. 11 Gr. LXXXI Best. 2 (Form ?). Gr. CXVII (ringförmig). — Gkg. 39 Gr. XXVIII (Form ?). — Gkg. 37 Gr. XXIII Best. A (Form ?). — Kg. 7 Gr. II (löffelförmig). — Kg. 65 Gr. IV Best. A (lanzettförmig). Gr. VI (in Form eines Maralzahnes). — Kg. 173 Gr. B (Form ?). — Kg. 12 Gr. IV (Form ?).

[49] Formen nicht feststellbar: Gkg. 11 Gr. LXXXIX. — Gkg. 39 Gr. XLI. — Gkg. 37 Gr. XXIX. — In Diskusform mit Durchbohrung in der Mitte: Gkg. 26 Gr. VIII.

[50] Gkg. 26 Gr. I Best. 1 (zwei Stück). — Gkg. 39 Gr. VII Best. 2.

[51] Gkg. 26 Gr. XLV Best. 2.

[52] Gkg. 11 Gr. XLV (dreieckig).

[53] Gkg. 26 Gr. VIII (lamellenförmig).

[54] Gkg. 26 Gr. XXXIV.

[55] Gkg. 11 Gr. XXVIII, zwei Stück, Höhe 3,5 cm. — Gkg. 11 Gr. XCIII, ein Stück, Höhe angeblich 1,08 cm.

[56] Kyzlasov (Anm. 12) 79 ff. und 80 Abb. 28, 9—11.

[57] ders. (Anm. 12) 81.

[58] P. Rau, Die Hügelgräber römischer Zeit an der unteren Wolga (1927) Abb. 49 A.

[59] Gkg. 11 Gr. III (bei Gesicht und Nacken eines maturen Mannes). Gr. LVII (am Halswirbel eines maturen Mannes). — Gkg. 37 Gr. XXIX (eine Folie auf Rippen, eine auf rechter Schulter eines maturen Mannes).

[60] Gkg. 37 Gr. XXIX (vier Folien, gefunden zwischen Ober- und Unterkiefer eines maturen Mannes).

[61] Gkg. 26 Gr. XL (gefunden beim Schädel eines Mannes). — Kg. 7 Gr. IV (gefunden beim Schädel eines maturen Mannes). Über Goldüberzug auf Holzfiguren an späterer Stelle.

[62] Kg. 28 (gefunden bei maturem Mann).

Gr. XXXVIII Best. 1 werden als wahrscheinliche Teile des Kopfschmuckes gedeutet. Die Technik des Überziehens von Gegenständen aus organischem Material mit Blattgold wurde in Südsibirien schon während der der Šurmakzeit vorangehenden Epoche der Großkurgane der Pazyryk-Kultur im Hochaltai praktiziert. So waren in Kurgan II von Pazyryk ein Holztisch mit zusammenklappbaren Beinen und ein hölzerner geschnitzter Greifenkopf mit Goldfolie überzogen.[63] Es fällt auf, daß Goldfolie, ob einzeln oder in Verbindung mit anderem Material, nahezu ausschließlich in Gräbern von Männern maturen Alters vorkommt. Ein runder Beschlag aus Gold fand sich auf den Rippen eines maturen Mannes in Gkg. 37 Gr. XXIX (ohne Abb.).

Außer diesen Gegenständen sind noch einige, wie *Beschläge* aus Bronze oder Silber, *Knöpfe* und *Kettenglieder,* als Bestandteile der Tracht anzusprechen. Ihrem Aussehen und der Fundlage nach gelten ein halbsphärischer bronzener Anhänger (Abb. 29, F 3) und ein Bronzering (Abb. 29, F 8), die auf dem Schädel einer Frau in Kg. 65 Gr. IX gefunden wurden, als gesicherte Reste einer Kopfbedeckung.

Von den *Gegenständen des täglichen Gebrauchs* gehören *Messer* neben der Keramik zu den gängigsten Beigaben.[64] Sie sind mit einer Ausnahme (nicht abgebildetes bronzenes Messer in Gkg. 11 Gr. LV) aus Eisen angefertigt. Messer weisen keine starke Variabilität der Formen auf: vertreten sind solche mit Ringöse, mit Schlaufe und mit Griffdorn. Oftmals ist wegen des schlechten Erhaltungszustandes der Typ nicht auszumachen, gelegentlich selbst die Bestimmung als Messer fraglich. Manchmal sind hölzerne Messerscheiden oder -griffe zum Teil erhalten geblieben. Das Messer in Gkg. 8 Gr. XXIII (Abb. 23, E 1) hat einen Griff aus Horn und Birkenrinde. Messer kommen in Gräbern beider Geschlechter und aller Altersstufen vor, wobei sie allerdings in Frauengräbern weniger häufig vorkommen, als es dem Anteil von Frauenbestattungen im Gräberfeld entspricht. Die Lage der Messer im Grab zeigt eine gewisse Regelhaftigkeit. In Männergräbern befinden sie sich fast ausschließlich in der Beckengegend, in der überwiegenden Mehrzahl der Fälle auf der linken Seite der Bestatteten. Bei den Frauen tritt neben diese Norm verhältnismäßig häufig die Seitenlage rechts oder eine

---

[63] K. Jettmar, Die frühen Steppenvölker. Kunst der Welt (1980) 93.99.
[64] Die Miniaturmesser in Frauengräbern, die Bestandteil einer Garnitur von Gerätschaften bilden, die in Holzschachteln aufbewahrt wurde, werden bei der Besprechung von Holzschachteln behandelt. In einigen Fällen kommen Miniaturmesser oder Messer normaler Ausmaße in Frauengräbern ohne Holzschachtel und entsprechendes Zubehör vor, allerdings an der Stelle (beim Kopf), die sonst der Deponierung der Holzschachteln vorbehalten ist (z.B. Gkg. 11 Gr. CXXX).

Hinterlegung bei Kopf oder Schulter. Ersteres hängt wohl mit der Tragweise zusammen, die Deponierung bei Kopf oder Schulter entspricht der von Holzschachteln und wird — auch ohne daß die Schachteln selbst überliefert sind — mit der Sitte, den Frauen Gerätschaftsgarnituren meist in Holzschachteln in Kopfnähe niederzulegen, zu deuten sein. Während Messer in Kopfhöhe in Frauengräbern zehnmal beobachtet wurden,[65] ist dies bei Männern nur zweimal der Fall,[66] was angesichts der verhältnismäßig geringen Zahl von Frauengräbern mit Messer um so auffälliger ist. Viermal[67] befinden sich in Frauengräbern neben dem Messer in Kopfhöhe auch noch bronzene Spiegelfragmente, einmal[68] wurde (allerdings beim Oberschenkel) ein Pfriem gefunden.

Messer wurden zumeist einzeln, manchmal paarweise ins Grab gelegt. Seltener kommen drei oder vier Stück in einem Grab vor. Die Zahl der beigegebenen Stücke ist nicht durch das Geschlecht des Beigesetzten bedingt. Das Verhältnis von Einzel- zu Mehrfachbeigaben ist in den Großkurganen unterschiedlich. So beträgt in Großkurgan 26 das Verhältnis von Einzel- zu Doppel- und Mehrfachhinterlegungen von Messern 23:16, in Großkurgan 11 jedoch 71:25. Nachdem sich Großkurgan 26 durch einen großen Anteil „alten" Fundgutes (Keramik und Messerformen) von den übrigen Großkurganen absetzt, stellt sich die Frage, ob stärkere Beigabenfreudigkeit während der Frühphase im šurmakzeitlichen Kokel' und nicht etwa „Wohlstand" der Verstorbenen und ihrer Hinterbliebenen der Grund für die Beigabe von mehr als einem Messer ist. Im Fall von Mehrfachdeponierungen liegen gewöhnlich alle Messer an der üblichen Stelle in der Beckengegend.

Keramik gehört zur festen Ausstattung fast aller Gräber. Die Zahl der Gefäße neben einer bestatteten Person beträgt in der Regel ein oder zwei Stück; Ausnahmen davon sind selten. Da Angaben zur Beschaffenheit des Tones, Farbe, Glättung u. ä. nicht vorliegen, wird eine Einteilung nach der Form der Gefäße vorgenommen. Danach können drei Grundformen unterschieden werden, die kessel-,

---

[65] Messer in dieser Lage in Verbindung mit Holzschachteln und Gerätegarnituren werden bei den Holzschachteln besprochen. Ohne Holzschachteln wurden Messer beim Kopf gefunden: Gkg. 11 Gr. LXXI Best. 2. CXXX (Miniaturmesser). — Gkg. 26 Gr. XI Best. 2. XXXII (auf Holzschale). XXXIV. XLIV (auf Stück Birkenrinde). — Gkg. 39 Gr. XXXVIII Best. A. — Kg. 4 Gr. II. — Kg. 7 Gr. IX (archäol. als Frauengrab bestimmt). — Kg. 65 Gr. I.

[66] Gkg. 37 Gr. XXXIII Best. A (auf Holzteller) (archäol. als Frauengrab bestimmt). — Kg. 28.

[67] Gkg. 11 Gr. CXXX. — Gkg. 26 Gr. XXXIV. XLIV. — Kg. 65 Gr. I.

[68] Kg. 7 Gr. IX.

vasen- oder topfartig gestaltet sind und in elf Typen untergliedert werden können (mehr darüber im Abschnitt zur Chronologie).

Weder die einzelnen Typen noch deren Lage im Grabe oder die Beigabe von einem bzw. mehreren Gefäßen sind geschlechts- oder altersbedingt. In jenen Fällen, wo *ein* Gefäß beigegeben wurde, erfolgte die Deponierung in der Regel beim Kopf. Folgende Aufstellung, die nur ungestörte Gräber einschließt, zeigt die weitgehende Regelhaftigkeit der Lage der Keramik in Gräbern mit einem Gefäß.

	Form der Gefäße nach Grundtypen	am Kopfende	nicht am Kopfende	Abweichungen
Gkg. 11	kesselförmig	23	—	
	vasenförmig	8	1	Fußende (Gr. LXXXIII)
	topfförmig	31	2	Fußende (Gr. XXXV Best. 3. LXIII)
	unerkannter Typ	17	—	
Gkg. 26	kesselförmig	8	—	
	vasenförmig	1	1	Fußende (Gr. III Best. 1)
	topfförmig	8	—	
	unerkannter Typ	4	—	
Gkg. 39	kesselförmig	4	—	
	vasenförmig	5	—	
	topfförmig	9	—	
	unerkannter Typ	8	1	unklar (Gr. XXII)
Gkg. 37	kesselförmig	8	—	
	vasenförmig	1	—	
	topfförmig	—	—	
	unerkannter Typ	11	—	
Gkg. 8	kesselförmig	4	—	
	vasenförmig	1	—	
	topfförmig	6	—	
	unerkannter Typ	2	1	linker Oberschenkel (Gr. III)
übrige Gräber	kesselförmig	10	—	
	vasenförmig	3	—	
	topfförmig	24	—	
	unerkannter Typ	8	1	Fußende (Kg. 124 Gr. II)

Demnach entsprechen von 211 Fällen, in denen nur *ein* Gefäß beigegeben war, 204 der Regel; lediglich 7 weichen davon ab. Bezeichnenderweise kommt bei den kesselförmigen Gefäßen, die als die ältesten anzusehen sind, niemals eine Abweichung bezüglich der regelhaften Lage im Grabe vor. Nicht so einheitlich verhält es sich im Falle der Beigabe von zwei oder mehr Gefäßen.

Die Lage und Anzahl keramischer Gefäße hängen zwar nicht erkennbar mit den Gesellschaftsverhältnissen zusammen, wohl aber mit der chronologischen Gliederung. Die Beigabe von zwei Gefäßen ist insofern von chronologischer Relevanz, als sie, ebenso wie die Sitte, Gefäße mit Steinplatten zu bedecken,[69] gleich am Anfang der Belegung einsetzt und im großen und ganzen dem älteren Abschnitt des šurmakzeitlichen Gräberfeldes angehört. 133 Gräber enthielten zwei Keramikgefäße. In 34 von ihnen wurde ein Gefäß beim Kopf, das andere am Fußende niedergelegt.[70] Diese Erscheinung nimmt innerhalb der Bestattungen mit zwei Gefäßen eine frühe Stellung ein. Wenn es sich bei einem der beiden um ein kesselförmiges Gefäß handelt, liegt dieses immer am Kopfende; bei den anderen Gefäßtypen gibt es keine solche Regelhaftigkeit der Deponierung. Auffällig ist, daß kesselförmige Gefäße niemals miteinander kombiniert vorkommen[71] und daß bei Bestattungen mit zwei Gefäßen unterschiedlicher Lage eine ausgesprochene Affinität zwischen kessel- und vasenförmiger Keramik besteht.

---

[69] In Gkg. 11 Gr. VIII. XXV. XXVI. XXXI. XXXII. XXXIV (bedeckt mit Brettchen mit Rußspuren). XLI. LII. — Gkg. 26 Gr. I Best. 1. II. IV. VI Best. 1 oder 2. VII. VIII. IX. X. XXX. XL. — Gkg. 39 Gr. II Best. B. — Gkg. 37 Gr. VI. X. XII. XXXII. — Kg. 28. — Kg. 65 Gr. I.
Meist befinden sie sich in der üblichen Lage, d. h. beim Kopf. In Gräbern mit mehr als einem Gefäß sind sie jedoch sechsmal bei den Beinen (Gkg. 11 Gr. VIII. — Gkg. 26 Gr. II. IV. XL. — Gkg. 37 Gr. VI. — Kg. 65 Gr. I).
[70] Kombination kessel- und vasenförmig: Gkg. 11 Gr. V. — Gkg. 26 Gr. II. III Best. 2. 3. 4. IV. — Gkg. 39 Gr. XIX. XL. — Kg. 34 Best. 1.
Kombination kessel- und topfförmig: Gkg. 11 Gr. IV B.
Kombination kesselförmig und unerkannter Typ: Gkg. 37 Gr. XXVI Best. 1.
Kombination vasen- und vasenförmig: Gkg. 39 Gr. VIII.
Kombination vasen- und topfförmig: Gkg. 11 Gr. VI. XVII. CIV. CXXXIX. — Gkg. 26 Gr. XII. XIII. XXXII. XL. — Kg. 33 Gr. V. — Kg. 34 Gr. I.
Kombination vasenförmig und unerkannter Typ: Gkg. 11 Gr. VIII. LXI. CX. — Gkg. 26 Gr. XXXI. — Gkg. 37 Gr. XXXIII Best. A.
Kombination topf- und topfförmig: Gkg. 26 Gr. XXX. — Gkg. 37 Gr. VI. — Gkg. 8 Gr. XVI.
Kombination topfförmig und unerkannter Typ: Gkg. 11 Gr. XCVII. CIII. — Gkg. 26 Gr. XV Best. 1.
Kombination zweier unerkannter Typen: Gkg. 37 Gr. XXVIII.
[71] Eine solche Kombination ist auch bei der Niederlegung beider Gefäße beim Kopf unbekannt.

In der Mehrzahl des Vorkommens zweier Gefäße liegen indes beide beim Kopf, was auf einen fortgeschrittenen Zeitpunkt der Frühphase der Belegung hinweist. Die Beigabe von nur einem Gefäß scheint, obwohl teilweise schon zur frühesten Zeit, d.h. während des Vorkommens kesselförmiger Keramik, praktiziert, ihrer Tendenz nach auf eine jüngere Zeitstellung innerhalb des Gräberfeldes hinzuweisen. Diese Überlegungen ergeben sich aus der chronologischen Verteilung der drei Phänomene (Deponierung zweier Gefäße; Sitte, Gefäße mit flachen Steinen zu bedecken; und dem Brauch, eines der Gefäße beim Kopf, das andere zu Füßen niederzulegen). Auf sie wird im Abschnitt Chronologie näher eingegangen.

Bei den wenigen Bestattungen mit mehr als zwei Tongefäßen handelt es sich vornehmlich um Doppel- und Mehrfachbestattungen. Keramik findet sich auch in zweien der vier Kenotaphe.

Funktionell gesehen, stehen *Holzgefäße* der Keramik am nächsten. Auch bei ihnen kann davon ausgegangen werden, daß sie der Aufnahme von Totenzehrung in fester oder flüssiger Form dienten, was dadurch belegt wird, daß sich auf Holztellern gelegentlich Schafknochen fanden und daß ihre Lage im Grab der der Tongefäße entspricht. Sie werden in regelhafter Fundvergesellschaftung mit Keramik an derselben Stelle wie diese,[72] vornehmlich beim Schädel, gefunden. Einige wenige Gräber mit Holzgefäßen enthalten keine Keramik.[73] Wegen der Austauschbarkeit ihrer Verwendung ist anzunehmen, daß Gefäße aus Ton gelegentlich durch hölzerne ersetzt wurden. Holzgefäße kommen hauptsächlich in der Form von Tellern (häufigste Form: in 50 Gräbern), Holzfäßchen, Schüsseln und flachen Schalen vor, seltener als Becher, zylindrische Gefäße, Eimer, Tassen und Gefäße mit oder ohne Ausgußtülle sowie Schöpfer mit schnabelförmigem Ausguß. Oft findet man in Vergesellschaftung mit Holzgefäßen auch Holzlöffel. Holzgefäße kommen einzeln, paarweise oder in Garnituren vor. Holzfäßchen, die in 35 Exemplaren aus 34 Gräbern bekannt sind[74] (Abb. 59) und die offensichtlich die höchstwertige Form von Holzgefäßen darstellen, kommen zum

---

[72] Nur in drei von 83 Gräbern, die Holz- und Keramikgefäße enthalten, befinden sich die Holzgefäße an anderen Stellen: Gkg. 11 Gr. VII. XXXV Best. 1. — Kg. 59.

[73] Gkg. 11 Gr. III. XLVI. LVII. CV Best. 2. CXII Best. 1. CXVIII. CXXVIII Best. 1. — Gkg. 26 Gr. XIV. XXXVII. XLI. XLII. — Gkg. 39 Gr. XXXI Best. 2. — Gkg. 37 Gr. XXV. — Kg. 65 Gr. II. — Kg. 173 Gr. A. — Kg. 12 Gr. IV.

[74] Gkg. 11 Gr. III. VI. XXVII. XXXVIII. XL Best. 3. XLI. XLIV. XLVI. LVII. LXVII Best. 2. LXXVIII. CII Best. 2. CVI Best. 2. CXI. CXXVI. CXLI Best. 1. — Gkg. 26 Gr. XXXVIII Best. 2. XLI. XLII. XLV Best. 2. — Gkg. 39 Gr. XIII. XXXIII. — Gkg. 37 Gr. I. — Gkg. 8 Gr. VI. — Kg. 7 Gr. IV. — Kg. 9. — Kg. 32 Gr. V. — Kg. 33 Gr. B. — Kg. 34 Gr. I. — Kg. 52. — Kg. 55. — Kg. 60 (zwei Stück). — Kg. 124 Gr. II. — Kg. 3.

Unterschied von den übrigen Formen nahezu immer mit anderen Holzgefäßen kombiniert vor.[75] Gräber mit Holzfäßchen setzen sich insofern von jenen mit Holzgefäßen ohne Holzfäßchen ab, als sie ausschließlich erwachsenen Individuen, vornehmlich maturen Alters, verhältnismäßig häufig Frauen, vorbehalten sind. Gräber hingegen mit anderen Holzgefäßen, sei es einzeln oder in mehreren Exemplaren — wobei keine Regelhaftigkeit der Zusammensetzung festzustellen ist —, sind sowohl durch Männer-, Frauen- als auch durch Kinderbestattungen vertreten. Dabei besteht kein Zusammenhang zwischen Geschlecht bzw. Alter des Verstorbenen und der Anzahl beigegebener Holzgefäße.

Reichliche Ausstattungen mit Holzgefäßen ist ein Charakteristikum der Šurmak-Kultur in Tuva und der Taštyk-Kultur am mittleren Jenissej.[76] Beiden Kulturen ist auch das Vorkommen von Holzfäßchen gemeinsam. Ein gutes Vergleichsstück für die in Kokėl' gefundenen Holzfäßchen ist das Exemplar aus Grab 2 von Oglachty im Minussinskgebiet,[77] das Kyzlasov in die Izych-Etappe der Taštyk-Kultur datiert.[78] Die Fäßchen haben eine Walzenform und schließen an beiden Enden mit einem Ring und eingesetzter diskusförmiger Holzplatte ab. Die kleine runde Öffnung am Oberteil wird mit einem Holzpropfen verschlossen. Bei der Anfertigung der Fäßchen wurde kein Metall verwendet. Die Fäßchen wurden der Länge nach ins Grab gelegt. Gr. XLVI in Gkg. 11 erbrachte ein besonders schönes Exemplar: seine Oberfläche ist mit einem rautenförmigen Gitterornament in roter Farbe verziert, in dessen Felder stilisierte Vögel in Schwarz gemalt wurden (Abb. 41, F 6). Für die Beurteilung der Zeitstellung der Fäßchen in Kokėl' ist wichtig, daß sie in 11 der 34 Gräber mit kesselförmiger Keramik vergesellschaftet sind, ein Hinweis darauf, daß zumindest ein Teil der Fäßchen in den Beginn der šurmakzeitlichen Belegung zu setzen ist (zur Verteilung im Gräberfeld vgl. Abb. 59), was auch mit der vorher genannten Datierung innerhalb der Taštyk-Kultur in Einklang steht. In vier der Gräber[79] mit Holzfäßchen fand man anstelle der sonst üblichen Beigabe von Tongefäßen Gefäße aus Eisen, die zusammen mit den Fäßchen beim Schädel der Bestatteten deponiert worden waren. Dies ist neben der häufigen Vergesellschaftung mit kesselförmiger Keramik ein weiterer Hinweis auf die frühe Datierung der Holzfäßchen.

---

[75] Ausnahmen: Gkg. 11 Gr. LVII. CXI. — Gkg. 8 Gr. VI. — Kg. 7 Gr. IV.

[76] Vgl. Kyzlasov (Anm. 12) 105 ff.

[77] Tallgren (Anm. 27) 79 Abb. 9 a.

[78] Kyzlasov ebd. 105. Die Izych Etappe dauerte von der Mitte des 1. Jahrhunderts vor bis zum Beginn des 1. Jahrhunderts nach Chr. (Kyzlasov a.a.O. 115).

[79] Gkg. 11 Gr. III. XLVI. LVII. — Gkg. 26 Gr. XLI.

Weitaus seltener als Ton- und Holzgefäße kommen in Kokėl' *Metallgefäße* vor. Sie sind aus 13 Gräbern überliefert; zehn von ihnen sind abgebildet. Drei sind aus Bronze angefertigt, die restlichen elf aus Eisen. Aus Bronze sind ein Eimer (Gkg. 26, Gr. XXV) (Abb. 34, B 7), ein Kessel „skythischen" Typs mit zwei glatten halbkreisförmigen Henkeln, auf hohlem konischen Fuß (Kg. 7, Grab im Kurganmantel) (Abb. 20, H 1), und ein 13,5 cm hohes Kesselmodell, das dem Kessel aus Kg. 7 ähnelt, dessen konischer Fuß indes trapezförmig durchbrochen ist (Kg. 64 Gr. II) (Abb. 28, E 1). Das Stück aus Kg. 7 hat am oberen Teil mit Eisenblech ausgeführte Flickstellen; offensichtlich war es lange Zeit in Gebrauch gewesen. „Skythische" Kessel sind in großer Variationsbreite über das gesamte Steppen- und Waldgebiet Sibiriens, den innerasiatischen Raum zwischen Transbaikalien und Kasachstan sowie das untere Wolgagebiet, das Siebenstromland und Nordchina verbreitet. Typologische Unterscheidungsmerkmale „skythischer" Bronzekessel beziehen sich im allgemeinen auf die Form der Gefäße, die Gestaltung der Henkel, die Art ihrer Befestigung am Gefäßkörper und die Verzierung mit zapfen- oder pilzförmigen Aufsätzen. Da eine typenkundliche Bearbeitung dieser Fundgattung noch aussteht, sei lediglich festgehalten, daß die beiden Stücke aus Kokėl' in Hinblick auf die unverzierten bogenförmigen Griffe und die durchbrochene Stelle am Fuß den nordchinesischen Kesselformen nahestehen.[80]

Von den elf eisernen Gefäßen sind nur sieben abgebildet.[81] Mit Ausnahme eines zylindrischen Bechers mit aufgesetztem Griff aus Gkg. 26 Gr. XLI (Abb. 37, A 9) haben die übrigen Gefäße entweder die Gestalt von Kesseln, bestehend aus einer flachen kalottenförmigen Schale und einem hohen konischen Hohlfuß,[82] oder es handelt sich um flache Schalen mit vertikal aufgesetzten Henkeln, die mit Nieten angebracht sind.[83] Eine solche Art der Henkelbefestigung zeigt auch der Kessel aus Gkg. 26 Gr. VIII (Abb. 31, A 15). Die Mundsäume der Schalen sind gewellt (Gkg. 26 Gr. VI Best. 1. — Kg. 4 Gr. V) (Abb. 31, B4. — Abb. 20, F 7) oder gerade (Kg. 28) (Abb. 23, H 6), ebenso gewellt der Mundaum des Kessels aus Gkg. 26 Gr. XXXIV) (Abb. 35, F 2). Zwar gibt es außerhalb Tuvas keine genauen Vergleichsstücke für die in Kokėl'

---

[80] V.P. Levaševa/Ė.R. Rygdylon, Der Hortfund von bronzenen Kesseln aus Šalabolin, der im Museum von Minussinsk aufbewahrt wird (russ.). Kratkije Soobščenija Moskva 43, 1952, 134.

[81] Nicht abgebildet sind die drei kesselförmigen Gefäße näher nicht bezeichneter Form aus Gkg. 11 Gr. III. XLVI. LVII und ein eisernes Kesselmodell aus Kg. 28.

[82] Gkg. 26 Gr. III Best. 1. VIII. XXXIV.

[83] Gkg. 26 Gr. VI Best. 1. — Kg. 4 Gr. V. — Kg. 28.

gefundenen Exemplare, und auch ihre Datierung stößt auf Schwierigkeiten,[84] doch bestehen Indizien für einen frühen Zeitansatz, denn
— in fünf Fällen befinden sich die Eisengefäße in Großkurgen 26, der die ältesten Funde enthält;
— in vier Fällen (davon alle drei nicht abgebildeten aus Großkurgen 11 und das Stück aus Gkg. 26 Gr. XLI) sind mit Holzfäßchen vergesellschaftet;
— in drei Fällen (Gkg. 11 Gr. III. — Gkg. 26 Gr. III Best. 1. VI Best. 1) sind sie mit „alten" Messerformen (Ringgriff bzw. Schlaufe) kombiniert, jenes aus Gkg. 26 Gr. VIII mit einer gleichfalls als früh bestimmbaren Schnallenform.

Metallgefäße treten, soweit Angaben über Geschlecht und Alter vorliegen, mit Ausnahme des eisernen Kessels aus Gkg. 26 Gr. XXXIV (Abb. 35, F 2), der zur Bestattung einer maturen Frau gehört, ausschließlich in Gräbern von Männern maturen oder adulten Alters auf. Außer dem bronzenen Kesselmodell aus Kg. 64 Gr. II (Abb. 28, E 1), das am Fußende des Grabes lag, wurden alle beim Schädel der Bestatteten gefunden.

In 28 Gräbern, durchweg Frauenbestattungen, wurden 29 teils viereckige, teils zylindrische *Kästchen* oder *Schachteln* unterschiedlicher Form (z.B. Abb. 26, B 8.12; 43, J 4) gefunden.[85] Die Schachteln sind oft mit Zickzack- oder Gittermustern in roter Farbe verziert. In 28 Fällen enthielten sie Gerätschaften, ein Kästchen war leer. Der Inhalt der Kästchen umfaßt insgesamt 18 *Pfrieme*, 18 *Messer* normaler Ausmaße und mindestens 17 *Miniaturmesser* (manchmal mehrere Stükke in einer Schachtel), 17 *Pinzetten*, 11 Fragmente von bronzenen *Spiegeln*, je fünfmal *Spinnwirtel* (soweit Materialangaben, aus Stein) und *Schaber für die Ledergewinnung*, einige *Holzstäbchen* (die möglicherweise als Eßstäbchen dienten) und *kleinere Holzgegenstände*, ein *Schabermodell*, einen *Kamm* und einen bronzenen *Vogelkopf*. Eine Standardgarnitur besteht aus Pfriem, Messer bzw. -Modell und Pinzette, zu denen sich häufig noch Spiegelfragmente, Spinnwirtel und Schaber gesellen. Der Inhalt der Schachteln besteht mit Ausnahme der Spie-

---

[84] Kyzlasov (Anm. 26) 105 setzt sie in die Frühphase der Šurmak-Kultur (2. Jahrhundert vor — 1. Jahrhundert nach Chr.). Er sieht in ihnen speziell für die Bestattung angefertigte Gegenstände.

[85] Gkg. 11 Gr. XXI. XXII. XXXIII Best.A. XXXIV. XXXV Best.1. XXXV Best.2. XLIV. XLV. LXVII Best.1. LXXVII. LXXVIII. C. CXII Best.2. CXXVIII Best.2. CXXXV. — Gkg. 26 Gr. XVII. XLII. XLV Best. 2. — Gkg. 39 Gr. VII Best.1. XIII. XXIII. XXIV. XXV. XXXI Best.1. XXXVI. XXXVII. XXXVIII Best.B. — Gkg. 37 Gr. I. II. XXIV. — Gkg. 8 Gr. XX. — Kg. 32 Gr. V (zwei Stück). — Kg. 52. — Kg. 55. — Kg. 56 Best.2. — Kg. 60. — Kg. 65 Gr. IX. — Kg. 173 Gr. A. — Kg. 3. — Kg. 143. — Auch das zylindrische Holzgefäß aus Birkenrinde in Gkg. 11 Gr. CXXX dürfte als Holzschachtel anzusehen sein.

gelfragmente, die wohl eine Amulettfunktion innehatten (manchmal sind sie durchlocht), und der Miniaturmesser aus Gerätschaften, die praktischen Zwecken dienen konnten. Ob sie zu Lebzeiten benutzt wurden oder es sich um Stücke ausgesprochen für den Grabbrauch handelt, entzieht sich unserer Kenntnis. In der Regel liegen die Kästchen in der Kopf- oder Nackengegend. Ausnahmen sind Gkg. 11 Gr. XXXV Best. 1 und die Doppelbestattung in Gkg. 39 Gr. XXIV, wo das Kästchen bei der linken Fußsohle bzw. auf dem Kreuz der Frau lag. Außerdem fand man in weiteren zwölf Frauengräbern ohne erhaltene Schachteln als Teile solcher Garnituren beim Kopf der Beigesetzten neun Pinzetten, mindestens neun Messermodelle, vier Schaber, je drei Messer, Spinnwirtel und Pfrieme sowie je ein Spiegelfragment und Schabermodell.

Der Brauch, Frauen Schachteln mit Zubehör mit ins Grab zu geben, ist nicht auf die Šurmak-Kultur beschränkt, sondern wurde auch in der Taštyk-Kultur praktiziert,[86] allerdings mit dem Unterschied, daß den Garnituren keine Spiegelfragmente[87] beigegeben wurden.[88] Andererseits erfreut sich die Sitte, Bruchstücke Han-zeitlicher Spiegel ins Grab zu legen, über weite Gebiete großer Beliebtheit. Sie reicht von der Wolga bis Sibirien.[89] In Tuva treffen beide Erscheinungen — die Beigabe von Schachteln und von Spiegelfragmenten — zusammen. Auffallend ist in Kokél' der hohe Anteil solcher Gerätegarnituren in Gräbern von Frauen fortgeschrittenen Alters; von den nach Alter bestimmten Bestattungen kommen Holzkästchen einmal bei senilen, zwölfmal bei maturen und neunmal bei adulten Frauen vor. Das legt den Gedanken nahe, es handle sich um einen Teil der Ausstattung verheirateter Frauen.

Während Holzschachteln mit Gerätschaften als typische Beigabe in Frauengräbern gelten, gehören hölzerne *Gerätschaften zur Feuergewinnung,* die in 21 Gräbern[90] gefunden wurden, überwiegend zur Ausstattung männlicher Verstorbener.[91] Geräte zur Feuergewinnung sind zweiteilig und bestehen aus einem

---

[86] Kyzlasov (Anm. 26) 112.

[87] Die Beigabe von Spiegelfragmenten war in der Ujukzeit unbekannt. Man versah die Bestatteten mit ganzen Spiegeln, die man unterhalb der Hüftlinie deponierte (E. A. Novgorodova u. a., Ulangom. Ein skythenzeitliches Gräberfeld in der Mongolei. Asiat. Forschungen 76 [1982] 35).

[88] Kyzlasov (Anm. 12) 85.

[89] Kyzlasov (Anm. 26) 112 Anm. 134.

[90] Gkg. 11 Gr. II. III. X. XVI. L Best. 2. LII. LVIII. LXXIII. CII Best. 2. — Gkg. 26 Gr. XIII. XVII. — Gkg. 39 Gr. XLI. XLIV. — Kg. 7 Gr. IV. — Kg. 32 Gr. B. — Kg. 33 Gr. B. — Kg. 59. — Kg. 40. — Kg. 173 Gr. B. — Kg. 133. — Kg. 145.

[91] Aus Frauengräbern: Gkg. 11 Gr. X. — Gkg. 26 Gr. XVII. — Kg. 173 Gr. B. — Möglicherweise handelt es sich bei Gkg. 11 Gr. XVI um eine Frauenbestattung (anthropol. als Frau, archäol. als Mann bestimmt).

Holzbrettchen mit Bohrlöchern aus weicherem und Bohrstäbchen aus härterem Holz. Die Feuergewinnung erfolgte durch Quirlbewegungen mit der Hand und Zuhilfenahme eines Zunders. Nachweisbar sind solche Gerätschaften in Innerasien seit der frühskythischen Zeit (VIII.–VII. Jahrhundert v. Chr.). Im großen Kurgan von Aržan in Tuva (AVA-Materialien 23) fand sich das älteste bisher bekannte Gerät dieser Art.[92] In Kokėl' gibt es keine einheitliche Lage für die Deponierung im Grab. Man fand sie sowohl bei den Oberschenkeln, den Armen oder in Kopf- und Brusthöhe bzw. — in drei Fällen[93] — auf der Holzabdeckung über dem Bestatteten. Zweimal[94] befanden sich die Geräte in einem Lederbeutel.

In vielen Gräbern kommen *Holzstäbchen* verschiedener Größe vor. Sie befinden sich zumeist bei den Oberschenkeln. Die meisten von ihnen sind nicht abgebildet, und auch Angaben zu ihrer Länge liegen kaum vor, so daß ihre Verwendung unklar bleibt. In einigen Fällen, in denen sie sich in Kopfnähe und mit Eßgeschirr kombiniert fanden, kann angenommen werden, es handle sich um Eßstäbchen (so z.B. in Gkg. 11 Gr. V: zusammen mit zwei Holzlöffeln neben Holzteller). Dasselbe gilt für die gabelförmigen Holzstäbchen aus den Kurganen 55 und 59 (Abb. 28, B 5), die gleichfalls neben Gefäßen beim Schädel niedergelegt waren.

Vielfach wird auf Gegenstände unbestimmten Aussehens und unklarer Verwendung aus Bronze, Eisen, Bein oder Holz hingewiesen, die meist stark vergangen sind. Einige aus Metall, Bein und Stein sollen nicht unerwähnt bleiben: ein runder *Goldbeschlag* aus Gkg. 26 Gr. XLI (gefunden beim Schädel) (Abb. 37, A 7), ein *silberner Beschlag* aus Gkg. 11 Gr. LXXXVII Best. 2, Reste von tordiertem oder spiralenförmigem *Bronzedraht* (tordiert Gkg. 11 Gr. C. CXI. — spiralenförmig Gkg. 11 Gr. IX), die ihrer Gestalt und der Fundlage nach (sie fanden sich beim Schädel der Bestatteten) als Reste von Halsringen anzusprechen sind. In Gkg. 8 Gr. X fand sich ein *eisernes Löffelchen.*

Ein beinerner *Kamm,* der einer Frauengarnitur mit Holzkästchen entstammt, wurde in Gkg. 11 Gr. CXXVIII Best. 2 gefunden, ein zweites Exemplar, ebenfalls aus Bein, fand sich in Gkg. 26 Gr. XXXVIII Best. 2 (Abb. 36, D 5), vergesellschaftet mit zwei goldenen Ohrringen.

Ein *ausgehöhlter länglicher Knochen* fand sich in Gkg. 39 Gr. XVII (Abb. 48, H1), je ein *beinerner Diskus* mit Loch in der Mitte (beim Schädel der Bestatteten) in Gkg. 11 Gr. III und LXXXVII Best. 1, ein *beinerner Spachtel* in Kg. 100 Stein-

---

[92] A.D. Grač, Drevnie kočevniki v centre Azii (1980) 35.
[93] Gkg. 11 Gr. X. — Kg. 32 Gr. B. — Kg. 173 Gr. B.
[94] Gkg. 11 Gr. III. — Kg. 7 Gr. IV.

kiste II (Abb. 52, E), ein *beinerner Knopf* in Kg. 12 Gr. I, ein *Hammelastragal* in Gkg. 26 Gr. I Best. 2. In der Aufschüttung von Gkg. 37 Gr. VII wurde ein *bearbeiteter Röhrenknochen* vom Hammel gefunden, der weder als Rest von Leichenschmaus zu deuten ist noch als unbrauchbar gewordenes und weggeworfenes Werkzeug (Abb. 50, F). Im selben Sinn sind auch *bearbeitete Maralgeweihe* in den Gräbern C und CIX in Gkg. 11 zu interpretieren. *Schleif-* und *Wetzsteine* (Gkg. 8, Gr. X. — Kg. 53 Best. 2. — Kg. 174 Best. 1 [Abb. 52, A 2] und Best 2. — Kg. 140 Gr. II [Abb. 51, L]. — Kg. 145 [Abb. 53, A 9]) kommen, soweit den Angaben zu entnehmen ist, nur in Männergräbern vor. Ebenso zum hauswirtschaftlichen Bereich gehören *Holzquirle* (Gkg. 26 Gr. XXV [Abb. 34, B 6]. XLI [Abb. 37, A 3]. XLII [Abb. 37, B 2]). — Kg. 124 Gr. II (Abb. 38, K 8), von denen einer in einem Metallgefäß gefunden wurde (Gkg. 26 Gr. XXV), und ein nicht abgebildeter, als *Schneeschaufel* bezeichneter, Holzgegenstand (Gkg. 26 Gr. XXXIX), sowie ein „*Holztischchen*" (möglicherweise Teller auf Füßen) aus Kg. 7, Grab in Kurganmantel. Im selben Kurgan fand man in Grab II einige *Holznägel* beim Schädel des Verstorbenen. Gkg. 11 Gr. XLIII erbrachte ein birnenförmiges *Lämpchen aus Stein*. Bruchstücke einer gleichfalls nicht abgebildeten chinesischen *Lackschale* aus Kg. 32 Gr. B stellen einen einmaligen Fund dar. Sie wurden auf den Holzbrettern über dem Skelett eines Mannes gefunden. Neben einigen wenigen Funden von Seide ist dies der einzige gegenständliche Hinweis der in Kokėl' Bestatteten auf Verbindungen mit China.

*Seiden*reste wurden nur in sechs Gräbern gefunden.[95] Seide fehlt in den beiden Großkurganen 11 und 26, die die meisten Bestattungen enthalten. Bei den auch für organisches Material günstigen Erhaltungsbedingungen kann man daraus auf ein seltenes Vorkommen dieses Luxusgutes chinesischer Herkunft schließen. Die Lage der erhaltenen Reste deutet auf ihre Verwendung als Beinkleider und Kopfbedeckung hin.

Textil ist in Form von grobem *Wollgewebe* enthalten. Einige Gräber erbrachten Spuren von Wollgewebe, das sich auf allen Körperteilen der Bestatteten vorfand. Die einzige sichere Bestimmung seiner Verwendung stellt ein Gürtel aus Wolle dar (Gkg. 26 Gr. XXXVIII Best. 2). Außerdem fanden sich Reste von *Filzgewebe*, die zu einer Kopfbedeckung gehörten (Kg. 65 Gr. IX).

Neben den häufig vorkommenden Resten von *Lederbekleidung*, vor allem Schuhwerk, wurden in fünf Gräbern[96] *Lederbeutelchen* gefunden. Zwei von

---

[95] Gkg. 39 Gr. XXXVII. — Gkg. 37 Gr. II. — Gkg. 8 Gr. X. — Kg. 7 Gr. IV. — Kg. 9. — Kg. 32 Gr. B.

[96] Gkg. 11 Gr. III. LXV. — Gkg. 37 Gr. XXVI Best. 1. — Kg. 7 Gr. IV. — Kg. 107.

ihnen[97] enthielten je ein hölzernes Gerät zur Feuergewinnung. Lederreste fanden sich auch an Schnallen und Kettengliedern, wohl Fragmenten von Gürteln.

In einigen Gräbern[98] fand man Gegenstände von 6—8 cm Länge aus bearbeiteten Röhrenknochen. Die Knochen sind ausgehöhlt, die beiden Enden abgeschliffen, das breitere Ende mit dem Gelenkkopf ist durchbohrt. Weder die Fundlage noch der Zusammenhang mit Geschlecht oder Alter lassen eine Regelhaftigkeit der Deponierung oder Interpretationsmöglichkeit der Verwendung zu. Vergleichsstücke aus benachbarten Gebieten sind uns unbekannt, und so wäre an ein Specificum der Ausstattung der in Kokėl' Begrabenen zu denken, möglicherweise in Amulettfunktion.

Gleichfalls ihrer Funktion nach unbestimmbar sind die gedrechselten, an den Enden profilierten ausgehöhlten Knochen von 4—6 cm Länge.[99] Auch sie fand man an verschiedenen Stellen im Grab, ohne daß sich aus der Fundlage etwas über ihre Bestimmung aussagen ließe.

Anthropomorphe und *zoomorphe Figuren* aus Holz zählen zu den interessantesten Funden des Gräberfeldes. Die neun[100] anthropomorphen Figuren zeichnen sich durch stark schematisiertes Aussehen und die Schlichtheit der Ausführung aus. Sie haben keine Geschlechtsmerkmale — nur die Figur aus Gkg. 11 Gr. L Best. 2 (Abb. 41, H 2) wird als Frauenfigur angesprochen — oder individuelle Züge; ein Proträtcharakter ist nicht anzunehmen. Fünf der anthropomorphen Figuren weisen Lederreste, offensichtlich Teile der ursprünglichen Bekleidung, auf (bei der Figur aus Gkg. 11 Gr. CXXV [Abb. 46, G] sind Reste einer ledernen Hose klar erkennbar). Alle anthropomorphen Figuren wurden in Männergräbern gefunden. In einem Falle (Kg. 12 Gr. III) unterscheidet sich die anthropologische Bestimmung allerdings von der archäologischen; während das bestattete Individiuum von anthropologischer Seite als Frau bezeichnet wird, handelt es sich aus archäologischer Sicht um ein Männergrab. Die Vielzahl der in ihm gefundenen Waffen weist es tatsächlich eher als Männergrab aus. Die Höhe der Figuren beträgt — unter Vorbehalt ihrer teilweise nicht vollständigen Erhaltung

---

[97] Gkg. 11 Gr. III. — Kg. 7 Gr. IV.

[98] Gkg. 11 Gr. X. XV. XX. XL. LXXXIX. XCIV. — Gkg. 26 Gr. XXVI. — Gkg. 37 Gr. XX. — Kg. 133.

[99] Gkg. 11 Gr. II. LVIII. CXIV. — Gkg. 26 Gr. XL. XLVI. — Gkg. 39 Gr. V. — Außerdem werden einige Stücke abgebildet, ohne daß eine Zuordnung zu bestimmten Gräbern möglich ist, andere im Text erwähnt, indes unzureichend beschrieben.

[100] Abgebildet (Höhe wird angegeben, wenn genannt): Gkg. 11 Gr. L Best. 2. CVI Best. 3 (H. 17,8 cm). CXXV (H. 10,5 cm). CXXXI (H. 13,0 cm). CXXXIII (H. 8,0 cm). — Gkg. 26 Gr. XIII. — Gkg. 8 Gr. XIX. — Kg. 12 Gr. III. Nicht abgebildet: Gkg. 11 Gr. CXX (H. 19,5 cm).

— 8,0 bis 19,5 cm. Eine der Figuren wurde in einem Brandgrab gefunden (Gkg. 11 Gr. L Best. 2), alle anderen in Körpergräbern in Höhe der Schultern, des Ober- oder Unterarmes rechts oder links vom Bestatteten. Sechs der neun Figuren stammen aus dem nördlichen Teil des Großkurgans 11 (Abb. 60). Es liegt nahe, die anthropomorphen Figuren als primitiv gestaltete Idole, möglicherweise als Ahnenabbilder in Talisman- oder apotropäischer Funktion zu deuten.

Zoomorphe Figuren sind aus sieben Gräbern[101] bekannt. Es handelt sich ausschließlich um Pferdefiguren, die ebenso wie die anthropomorphen stark schematisiert sind. Ihre Größe wird in zwei Fällen mit 6,2 bzw. 7,0 cm angegeben. Auch sie wurden ausschließlich in Gräbern von Männern adulten bis senilen Alters bei Schädel, Schulter, Arm und Kreuz gefunden. Zwei sind mit Blattgold überzogen (Gkg. 26 Gr. XXXVIII Best. 1 [Abb. 35, B 6] und Gkg. 37 Gr. XXIX [Abb. 51, A 5.6]), eine der beiden außerdem noch rot bemalt (Gkg. 26 Gr. XXXVIII Best. 1). Ähnlich wie es bei den anthropomorphen Figuren der Fall war, können auch sie vielleicht als Clan-Totem-Gebilde mit dem Ahnenkult in Verbindung gebracht werden. Auffallenderweise stammen alle vier Pferdefiguren, die im Großkurgan 11 gefunden wurden, aus seinem südlichen Teil, wogegen die sechs menschlichen Figuren aus dem Nordteil desselben Großkurgans kommen (Abb. 60). Die unterschiedliche und klar voneinander abgegrenzte Verteilung dieser beiden Arten wird uns, zusammen mit anderen Erscheinungen, helfen, Entstehung und Aufbau des Großkurgans 11 zu erhellen.

Pferdeschirrung, meist *Gebisse (Trensenmundstücke)* oder deren Modelle[102] bzw. Teile, kommt in einigen Gräbern vor (Abb. 60). Die meisten wurden nicht abgebildet, so daß eine typenkundliche Beurteilung nicht möglich ist. Siebzehn Gebißstangen bzw. deren Modelle sind aus sechzehn Gräbern mehr oder minder bruchstückhaft überliefert,[103] *Psalien* (keine abgebildet) aus drei Gräbern.[104]

---

[101] Abgebildet: Gkg. 26 Gr. XXXVIII Best. 1. XXXIX. — Gkg. 37 Gr. XXIX. Nicht abgebildet: Gkg. 11 Gr. III. IX. XXVII. XL Best. 3.

[102] Entgegen der häufigen Bezeichnung „Modelle" im Forschungsbericht spricht Kyzlasov (Anm. 26) 106 nur von einem einzigen Vorkommen von Miniatur-Pferdegebissen in Kokél'. Wegen fehlender Abbildungen kann der tatsächliche Sachverhalt nicht ermittelt werden.

[103] Gkg. 11 Gr. I. IX. XV. XXIII. XLV. LXXXVII Best. 2 (zwei Stück). CXXII. CXXXIII. CXXXIV. CXL Best. 1. CXLI Best. 2. — Gkg. 26 Gr. VIII. XXI. XXVI. — Kg. 4 Gr. V (unsicher). — Kg. 28. — Abgebildet sind nur die Stücke aus Gkg. 26 Gr. XXVI und Kg. 28 sowie das unsichere Bruchstück aus Kg. 4 Gr. V. — Die Deutung der ringförmigen Bruchstücke aus Gkg. 26 Gr. XXVI als Teile der Pferdeschirrung wird von Kyzlasov (Anm. 26) 106 angezweifelt; er deutet sie als Beschläge von einem Holzgegenstand.

[104] Gkg. 11 Gr. XXIII (Bein). CXXXIV (Material nicht angegeben, wahrscheinlich Eisen; flach). — Gkg. 8 Gr. X (Bein; mit zwei Öffnungen).

Außerdem fand sich in Gkg. 26 Gr. XV Best. 1 noch ein beinerner *Block der Pferdeleine* (Abb. 32, D 1), der fälschlich als Schnalle gedeutet wurde. Pferdegebisse bzw. deren Modelle fanden sich bei den Bestatteten in verschiedenen Lagen, sowohl in Kopfhöhe als auch beim Ellbogen, den Beinen oder den Fußsohlen, die Psalien bei Schädel (Gkg. 8 Gr. X), Ellbogen (Gkg. 11 Gr. CXXXIV) oder der Fußsohle (Gkg. 11 Gr. XXIII). Insoweit Angaben zu Geschlecht und Alter vorliegen, findet man Teile der Pferdeschirrung in Männergräbern (in zwei Fällen weicht die anthropologische von der archäologischen Bestimmung ab[105]). Keines der Gräber mit Pferdeausstattung erbrachte zugleich Pferdeknochen.

Wichtig ist, daß im gesamten Fundmaterial kein Gegenstand gefunden wurde, der mit Ackerbau in Bezug gesetzt werden kann, wie etwa eine Pflugschar.[106] Zu Gerätschaften verarbeitetes Geweih, wie es in Kokėl' einige Male vorkommt, kann zwar auch der Bodenbestellung dienen, doch nur in sehr primitiver Verwendungsform. Diese Feststellung gilt indes mit dem Vorbehalt, daß die nach rituellen Gesichtspunkten vorgenommene Beigabenauswahl nicht unbedingt ein Spiegelbild des Alltags vorstellen muß.

---

[105] Gkg. 11 Gr. XV und LXV (anthropologisch als Frau, archäologisch als Mann bestimmt).

[106] Die gußeiserne Pflugschar in Kg. 28 ist wohl neuzeitlich.

Chronologie

Der chronologische Aufbau des Gräberfeldes läßt sich am besten anhand der Entwicklung der Keramik verfolgen. Hierbei werden drei Grundformen unterschieden, die sich ihrerseits in elf Typen untergliedern lassen (Abb. 17). Diese sind:

Kesselförmige Keramik:

      Typ 1: halbkugelig, mit verzierten Henkeln

      Typ 2: halbkugelig, mit unverzierten Henkeln

      Typ 3: eiförmig, mit verzierten Henkeln

      Typ 4: eiförmig, mit unverzierten Henkeln

Vasenförmige Keramik:

      Typ 5: verziert

      Typ 6: unverziert

Topfförmige Keramik:

      Typ 7: Übergang von vasen- zu topfförmiger Gestalt

      Typ 8: unverziert

      Typ 9: verziert

      Typ 10: mit vier Zapfen am Mundsaum, unverziert

      Typ 11: mit vier Zapfen am Mundsaum, verziert.

    Beobachtungen zur Verteilung dieser elf Typen über das Gräberfeldareal (Abb. 55) und ihre Kombination mit anderen Fundgattungen und den einzelnen Typen von Pfeilspitzen, Schnallen und Messern bilden das Rückgrat relativchronologischer Überlegungen. Die dabei gewonnenen Erkenntnisse bleiben jedoch beschränkt; sie reichen aus, Älteres von Jüngerem zu trennen, ohne daß sich innerhalb des Fundstoffes klare Zäsuren ergeben würden. Zudem lassen sich die meisten Funde nicht auf einen kürzeren Abschnitt der Belegung einengen. Das gilt vor allem für einige zeitlich unempfindliche, jedoch in beträchtlicher Menge vorkommende Gegenstände wie Bögen, Köcher oder Holzschachteln mit Gerätegarnituren. Es fehlen auch chinesische Münzen[1] und — außer Seide — Import-

---

1 Chinesische Münzen sind während der Han-Zeit auch außerhalb Chinas weit verbreitet und streuen über den gesamten ostasiatischen Raum bis nach Vietnam (U. Lienert, Das Imperium der Han [1980] 72). — Ihr Fehlen in Kokėl' ist neben dem seltenen Vorkommen von Seide ein sicheres Zeichen für die Abgeschiedenheit dieses Territoriums während der Šurmak-Zeit.

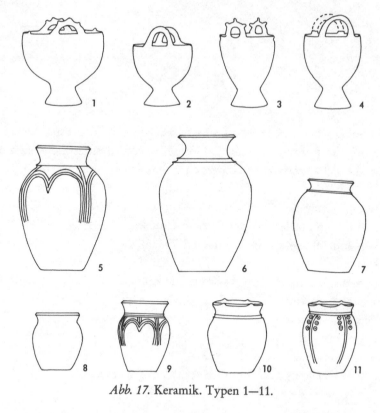

Abb. 17. Keramik. Typen 1—11.

güter, die eine absolutchronologische Verankerung zuließen. Die wenigen Funde von Seide, die als Tauschgut, Tribut, Gastgeschenk oder Beute nach Kokėl' gelangten,[2] vermögen nichts Näheres zur Datierung der einheimischen Funde auszusagen. Dasselbe gilt für die kleinen Bruchstücke früh-hanzeitlicher Metallspiegel aus weißem Metall oder Bronze, die sich, offensichtlich in Amulettfunktion, in Kokėl' häufig vorfinden, bei denen indes starke Abnutzungsspuren[3] auf eine lange Zeitspanne zwischen Herstellung und Niederlegung hinweisen. Die Bruchstücke einer chinesischen Lackschale aus Kurgan 32 Grab B bieten ebenso keinen absolutchronologischen Anhalt.

---

[2] Seide diente während der Han-Zeit häufig dazu, von den kriegerischen Nachbarn Frieden zu erkaufen (W. Böttger, Kultur im alten China[2] [1979] 137). — Über die von den nördlichen Anrainern Chinas (Hsiung-nu) erzwungenen Tributzahlungen in Seide vgl. K. Jettmar, Die frühen Steppenvölker (1980) 78. — Schon im 4. Jahrhundert v. Chr. wird in indischen Quellen über chinesische Seide als Exportgut berichtet (U. Lienert [Anm. 1] 79).

[3] L.R. Kyzlasov, Drevnjaja Tuva (1979) 112.

Kesselförmige Keramik ist wegen ihrer halbkugeligen oder eiförmigen Gestalt, des konischen Hohlfußes[4] und der Henkel am Mundsaum als tönerne Nachbildung „skythischer" bzw. „hunnischer" bronzener Kessel anzusehen. Die Henkel der kesselförmigen Keramik aus Kokėl' sind meist halbkreisförmig. Sie sind entweder mit drei stiftförmigen oder dreieckigen Zacken oder mit drei dreizackigen Gebilden verziert, oder aber unverziert. Seltener kommen trapezförmige Henkel vor,[5] die gleichfalls Verzierungen in Form dreieckiger Zacken tragen. Gelegentlich verlaufen unterhalb des Mundsaumes schwach profilierte Wülste — eine Anlehnung an die Dekorationsart der metallenen Vorbilder. Die Stücke aus Kokėl' weisen ausgeprägt individuelle Züge auf; es gibt kaum zwei miteinander vergleichbare Exemplare. Deshalb bildet unsere Klassifizierung angesichts dieser Variationsbreite nur einen ordnungstechnischen Behelf. Soweit überblickbar, ist nach dem derzeitigen Forschungsstand das Entstehungsgebiet der kesselförmigen Keramik in dem Tuva nördlich benachbarten Gebiet zu suchen. Nachbildungen metallener Kessel in Ton sind seit dem zweiten Stadium der Tagar-Kultur am mittleren Jenissej (5.—3. Jahrhundert v. Chr.) bekannt.[6] Hier kommen sie auch in der nachfolgenden Taštyk-Kultur seit deren Beginn vor (nach Kyzlasov Izych-Etappe der Taštyk-Kultur, 1. Jahrhundert vor bis in das 1. Jahrhundert nach Chr.).[7] Gute Vergleichsstücke zu den in Kokėl' vorgefundenen Exemplaren mit unverzierten halbkreisförmigen Henkeln liegen aus solchen Grabkomplexen der Taštyk-Kultur vor, die von Grjaznov[8] in die Bateni-Etappe der Taštyk-Kultur datiert werden, der er die beiden ersten Jahrhunderte nach der Zeitenwende zuweist. Entsprechungen zu den in Kokėl' gefundenen kesselförmigen Gefäßen aus Ton sind bei den Hunnen unbekannt; außer in der Šurmak kommen sie auch in der Taštyk-Kultur vor, wo ihre Verbreitung bis ins Mariinsk-Ačinsker Gebiet der Waldzone reicht, sowie im östlichen Kasachstan.[9]

Typenkundlich besser definierbar sind die vasenförmigen Gefäße (Typ 5 und

---

[4] Nur das Stück aus Gkg 11 Gr. XL Best. 1 hat eine flache Standfläche.

[5] Nach Kyzlasov (Anm. 3) 104 ist das Hauptunterscheidungskriterium „skythischer" und „hunnischer" Tonkessel die Form der Henkel, die bei den „hunnischen" trapezförmig gestaltet sind. — Eine Typeneinteilung der kesselförmigen Keramik gibt es bisher nur für das Gebiet der Taštyk-Kultur. Siehe L.R. Kyzlasov, Taštykskaja epocha v istorii chakassko-minusinskoj kotloviny (1960) 40f.

[6] V.P. Levaševa/Ė.R. Rygdylon, Der Hortfund von bronzenen Kesseln aus Šalabolin, der im Museum von Minussinsk aufbewahrt wird (russ.): Kratkije Soobščenija Moskva 43, 1952, 136 (ohne Abb.).

[7] L.R. Kyzlasov, Taštykskaja epocha v istorii chakassko-minusinskoj kotloviny (1960) Taf. 4, 37.

[8] M.P. Grjaznov, Miniaturen der Taštyk-Kultur (russ.): Arch. Sbornik Leningrad 13, 1971, 98 Abb. 2, 9.13.

[9] Kyzlasov (Anm. 3) 103.

6). Sie zeichnen sich durch schlanke Gestalt und eine klare Gliederung des Gefäßkörpers mit abgerundeten Schultern sowie eine trichterförmig ausladende Halspartie aus. Ihre Oberfläche ist dunkelgrau und leicht geglättet. Die Dekoration besteht bei der verzierten Variante (Typ 5) meist aus spitz zulaufenden oder fransenförmig endenden hängenden Bögen, die die gesamte Schulterzone einnehmen und sich gelegentlich bis zur Körpermitte erstrecken. Manchmal kommen auch gitterförmig gegliederte Zierzonen auf der Schulterpartie vor (z. B. Gkg. 11 Gr. XX) (Abb. 40, D7). Morphologisch ähneln die šurmakzeitlichen vasenförmigen Gefäße aus Kokėl' zwar jenen der Hsiung-nu,[10] doch unterscheiden sich letztere von ihnen durch im allgemeinen schlankere Gestalt und größere Ausmaße (die hunnischen erreichen bis 63,7 cm Höhe) sowie das Fehlen der bei Kokėl' beschriebenen Dekorationsmotive. An deren Stelle treten am oberen Teil des Gefäßkörpers Glättung, darunter mit Spachtel aufgetragene netzförmig angeordnete plastische Wülste.[11] Vergleichsstücke zu den hunnischen vasenförmigen Gefäßen finden sich über weite Gebiete Transbaikaliens verbreitet und reichen bis in das Han-zeitliche China.[12] Es handelt sich bei ihnen wohl um Vorratsgefäße, die der Aufbewahrung von Getreide oder Milch dienten. Kleinerer Ausmaße (25—50 cm Höhe) und dadurch mit den Stücken aus Kokėl' eher vergleichbar sind jene hunnischen keramischen Erzeugnisse, deren Körper zum Unterschied zu jenen aus Tuva bis unter den Mundsaum mit vertikalen Glättungsstreifen verziert ist.[13] Sie unterscheiden sich von den šurmakzeitlichen auch durch die elegant geschwungene Halspartie, die bei den Stücken aus Kokėl' eher trichterförmig gestaltet ist. Die Unterschiede der hunnischen und der šurmakzeitlichen vasenförmigen Gefäße sind so beträchtlich, daß von einer Verwandtschaft nur im weitesten Sinne die Rede sein kann. Nach allem zur Verfügung stehenden Material hat es den Anschein, daß es sich bei den in Kokėl' vorkommenden vasenförmigen Gefäßen in der Tat um regionale Erzeugnisse handelt, die zwar als Grundform über weite Gebiete Innerasiens verbreitet sind, genaue Entsprechungen jedoch nur in der Taštyk-Kultur besitzen, wo ihr Vorkommen von Kyzlasov als Ergebnis der Bevölkerungsverschiebung aus Tuva in der Mitte des 1. Jahrhunderts v. Chr. gedeutet wird.[14]

---

[10] Einen repräsentativen Querschnitt der hunnischen Produktion bieten die Funde aus der hunnischen Wallburg Ivolga in Transbaikalien. Vgl. A. V. Davydova, Die Wallburg von Ivolga (Zur Frage der hunnischen Siedlungen in Transbaikalien) (russ.): Sov. Arch. 25, 1956, 261 ff.

[11] Davydova (Anm. 10) 278 Abb. 10, 1—3.

[12] W. Hochstadter, Pottery and stoneware of Shang, Chou and Han. Bull. of the Museum of Far Eastern antiquities 24, 1952, Taf. 13, 51.

[13] Davydova (Anm. 10) 281 Abb. 12, 1—4.

[14] Kyzlasov (Anm. 3) 102.

Nach typenkundlichen Gesichtspunkten sind die Übergänge von vasen- zu topfförmigen Gefäßen fließend, was eine genaue Zuordnung zu einer dieser beiden Grundformen erschwert. Der von uns als „Mischform" ausgesonderte Typ 7 klingt zwar nach seiner Kontur noch an die vasenförmigen Gefäße an, nähert sich indes wegen seiner gedrungenen Form und der breiten Mündung dem topfförmigen Typ. Alle Gefäße dieses Typs sind unverziert. Auffällig häufig findet sich Typ 7 im Großkurgan 26, der, nach dem Vorkommen chronologisch relevanter Gegenstände (wie Messer) zu schließen, von allen fünf Großkurganen am frühesten belegt worden war. Das könnte darauf hindeuten, es handle sich bei den topfförmigen Gefäßen zumindest teilweise um eine Herausbildung aus der Vasenform, was eine zeitliche Priorität des letzteren voraussetzt. Dies umso mehr, als direkte Vorstufen topfförmiger Gefäße in der Ujuk-Kultur fehlen,[15] wogegen die vasenförmigen — falls die Auffassung Kyzlasovs über ihr Auftreten im Gebiet der Taštyk-Kultur zutrifft — schon in der Mitte des 1. Jahrhunderts v. Chr. voll ausgebildet waren. Sicherlich muß man sich die keramische Entwicklung in Kokėl' so vorstellen, daß nicht etwa vasenförmige Keramik durch topfförmige abgelöst worden ist, sondern erstere früher einsetzt. Beide Grundformen bestanden auch nebeneinander, was außer durch ihre Kombination in Fundkomplexen auch noch durch die Identität ihrer Verzierungsart ausgewiesen wird. So finden sich für die bogenförmige Verzierung auf den Töpfen (z. B. Gkg. 26 Gr. I Best. 3 oder Gkg. 11 Gr. LXXXIV) (Abb. 29, G 2; 44, G 5) genaue Entsprechungen bei der vasenförmigen Keramik. Die Räume zwischen den Bögen sind allerdings bei den Topfformen oft mit plastischen Knubben ausgefüllt, und es tritt auch Verzierung in Form einfacher und doppelter Knubbenreihen auf der Schulter auf. Man wird bei den topfförmigen Gefäßen, ebenso wie es bei den vasenförmigen der Fall war, in erster Linie eine Eigenschöpfung der Šurmak-Kultur anzunehmen haben. Die Verwandtschaft beider Grundformen zeigt sich auch darin, daß beide Grundformen sowohl in verzierter als in unverzierter Art vorkommen (bei den topfförmigen Gefäßen sind dies Typ 8 und 9). Die Töpfe der Taštyk-Kultur unterscheiden sich durch ihr kumpfförmiges Aussehen, d. h. ihre breite Form, das Fehlen eines ausladenden Mundsaumes und weite Mündungsöffnung, grundlegend von jenen aus Kokėl'. Auch in der Verzierung gibt

---

15 Beim ujukzeitlichen Topf aus Chovu-Aksy, Gr. 1 handelt es sich zwar um einen Topf, bei dem jedoch die Mündungspartie kaum vom Gefäßkörper abgesetzt ist (vgl. Kyzlasov [Anm. 3] 59 Abb. 42,3). — Topfformen oder deren Vorstufen kommen im ujukzeitlichen Gräberfeld von Ulangom nicht vor, wohl aber Gefäße mit zylindrischem Hals, die man als Vorstufe der Kokėl'-zeitlichen vasenförmigen Keramik ansehen könnte (siehe E. A. Novgorodova u. a., Ulangom, Ein skythenzeitliches Gräberfeld in der Mongolei. Asiat. Forschungen 76 [1982] 117 Abb. 74).

es kaum Parallelen unter den topfförmigen Gefäßen beider Gebiete. Schon in der Frühphase der Taštyk-Kultur überwiegen Einstiche (nagelförmige, halbmondförmige und rechteckige), die auf allen Gefäßformen erscheinen, während Verzierung in Form hängender Bögen in der Taštyk-Kultur unbekannt ist.[16] Es gibt zwar bei den Hunnen Entsprechungen für einige unverzierte Töpfe aus Kokêl' während der der frühen Šurmak-Zeit synchronen Dêrestuj-Etappe,[17] doch geht es hier wohl eher um Zufallserscheinungen als um eine echte Verbindung beider Gebiete.[18] Auch das Fehlen von Vergleichsstücken in Ivolga bestätigt die Eigenständigkeit der in Kokêl' gefundenen Topfformen.

Eine interessante Topfform stellen die Typen 10 und 11 dar. Morphologisch gleichen sie den Töpfen und sind auch wie diese verziert (Typ 11) oder unverziert (Typ 10). Von den Typen 8 und 9 setzen sie sich aber dadurch ab, daß ihr Mundsaum mit vier spitz zulaufenden Ausbuchtungen versehen ist. Bei den verzierten Stücken kommen sowohl liegende Bögen (wie bei den vasen-, teils auch bei topfförmigen Gefäßen) vor als auch die bei den Töpfen des Typs 9 häufig angetroffenen Leisten mit metopenartig angeordneten Fransen. Diese sind gelegentlich von vertikalen Würfelaugenreihen oder runden plastischen Knubben begleitet. Für Form und Dekoration dieser Topfart gilt dasselbe wie für die Topfformen ohne ausgebuchteten Mundsaum: weder in der Taštyk-Kultur noch im hunnischen Material Transbaikaliens oder der Mongolei lassen sich analoge Formen ausmachen. Allerdings gibt es eine Übereinstimmung mit der Taštyk-Kultur. Auch in ihr trifft man während der gesamten Dauer ihres Bestehens vier spitze Ausbuchtungen auf dem Mundsaum, jedoch auf Gefäßen anderer Form.[19]

Die Analyse des Keramikbestandes in Kokêl' zeigt, daß sich eindeutige überregionale Verknüpfungen nur bei den kesselförmigen Gefäßen ausmachen lassen. Diese fügen sich in eine großräumige Verbreitung ein, die neben Tuva auch noch das mittlere Jenissej-Gebiet (Taštyk-Kultur) und Ost-Kasachstan umfaßt. Bei den vasen- und topfförmigen Gefäßen bestehen zwar schwache Anklänge,

---

[16] Vgl. Kyzlasov (Anm. 7) 40 ff. und Taf. 4 (Typentafel).

[17] Kyzlasov (Anm. 3) 102.

[18] Entgegen der Auffassung der Autoren des Forschungsberichtes, D'jakonova und Vajnštejn, die hunnische Einflüsse in Tuva stark betonten, vertritt Kyzlasov die Meinung, Einflüsse der Hunnen seien in Tuva nur punktuell durch die Präsenz der Hunnen selbst gegeben, während sich Kultureinflüsse auf die Träger der Šurmak-Kultur nicht ausgewirkt hätten. Über hunnische Funde in Tuva während der Šurmak-Zeit siehe L.R. Kyzlasov, Über Denkmäler der frühen Hunnen (russ.) in: Drevnosti vostočnoj Evropy (= Festschrift A.P. Smirnov), Materialy Moskva-Leningrad 169, 1969, 115 ff.

[19] Vgl. Kyzlasov (Anm. 7) Taf. 4 (Typentafel).

aber keine Übereinstimmung mit den Formen im hunnischen Siedlungsgebiet. Die Verzierung dieser beiden Formen trägt einheimische, nur der Šurmak-Kultur eigene Züge. Lediglich in einem Detail zeigt sich bei den Töpfen eine Verbindung zur Taštyk-Kultur: in beiden Gebieten kommen auf dem Mundsaum von Gefäßen spitz zulaufende Ausbuchtungen vor. Diese Feststellungen rechtfertigen es, von einer eigenständigen keramischen Entwicklung in Tuva während der Šurmakzeit zu sprechen.

Aufschlüsse zur Zeitstellung der elf herausgestellten keramischen Typen können anhand ihrer Verteilung über das Gräberfeldareal gewonnen werden (Abb. 55). Dabei ist in erster Linie die Abfolge der Typen innerhalb der Großkurgane 26, 11, 39, 37 und 8 von Interesse, da angenommen werden kann, es handle sich bei ihnen um Bestattungsplätze von Sippenverbänden, daß also eine kontinuierlich verlaufende Beisetzung vorgenommen worden sei. Erschwert wird dies allerdings dadurch, daß viele Stücke nicht abgebildet sind und damit nur ein Teil der Funde in die Analyse einbezogen werden kann. Indes genügt auch dieser partielle Einblick, um gewisse Regelhaftigkeiten der keramischen Entwicklung festzustellen.

Die Deutung der Großkurgane als Beisetzungsstätten von Sippenverbänden wird insofern erhärtet, als das Vorkommen von Keramik in jedem von ihnen nicht auf ein enges Spektrum von Typen beschränkt bleibt, sondern vielmehr jeder Großkurgan alle drei Grundtypen, allerdings in unterschiedlichem Mengenanteil[20] enthält. So kann bei den Großkurganen nur von einer zeitlichen Überlappung ihrer Belegungszeit bzw. von unterschiedlicher Bestattungsfrequenz in der Zeitabfolge die Rede sein, keineswegs aber davon, daß sich Bestattungen in Kokél' im Lauf der Zeit von einem Großkurgan auf einen anderen verlagert hätten.

Am deutlichsten zeichnet sich die zeitliche Abfolge der Keramik in Großkurgan 26 ab. Wegen des Vorkommens von Messern mit Ringgriff, die nach ihrer Gestaltung die ujukzeitliche Tradition fortsetzen und damit sicherlich die im šurmakzeitlichen Kokél' älteste Messerform darstellen (die in den vier anderen Großkurganen nicht mehr vertreten ist), steht fest, daß der Großkurgan 26 als frühester einsetzt. Die Verteilung kesselförmiger Keramik bleibt in ihm auf den südwestlichen und den nordöstlichen Rand beschränkt. Darauf folgt vasenför-

---

[20] Dadurch, daß nur abgebildete Stücke berücksichtigt werden können, werden die Aussagen relativiert. Nicht abgebildet (was nicht besagt, daß nicht vorhanden) sind: in Gkg. 39 Typ 4 und 7; in Gkg. 37 Typ 3, 5, 7 und 8; in Gkg. 8 Typ 2 und 10. In Gkg. 26 wird zwar ein Gefäß Typ 2 abgebildet (Trudy TKAÈÈ 3,77 Taf. 3,8) kann jedoch keinem der Gräber zugeordnet werden. — In Großkurgan 11 sind alle 11 in Kokél' vertretenen Keramiktypen in Bildform festgehalten.

mige Keramik (Typen 5 und 6), während Töpfe verschiedener Typen den Raum zwischen den beiden Zonen mit kesselförmiger Keramik einnehmen. Die konzentrische Anordnung der drei keramischen Grundtypen bezeugt einerseits eine ungefähre Zeitgleichheit der Typen innerhalb der drei Grundformen, zum anderen zeichnet sich in ihr aber auch der Belegungsablauf ab, der offensichtlich von außen nach innen erfolgt ist. Demnach stellt die kesselförmige Keramik ohne Rücksicht auf Typen die älteste Keramikgattung im šurmakzeitlichen Kokėl' dar.

Weniger regelhaft als in Großkurgan 26 ist der Belegungsablauf bei Großkurgan 11. Nach der Verteilung von Tonkesseln zu schließen, läßt er sich ungefähr folgendermaßen rekonstruieren: Er setzt in etwa zu gleicher Zeit in der nördlichen und der südlichen Kurganhälfte ein (im Norden etwa am Kurganrand, im Süden in der Mitte der südlichen Kurganhälfte), um sich später in der Südhälfte in südlicher Richtung auszudehnen, im Nordteil hingegen mit späteren Bestattungen zwischen den „alten" Gräbern mit kesselförmiger Keramik fortzusetzen. Auch der Umstand, daß im Süden des Großkurgans 11 ausschließlich zoomorphe, im Norden dagegen anthropomorphe Holzfiguren gefunden wurden, spricht dafür, daß die Belegung von zwei gesonderten Einheiten (Sippen) mit eigenen kultischen Symbolen erfolgte (Abb. 60).

Während die Entwicklung der Großkurgane 26 und 11 von der Peripherie aus stattfand, scheint bei Großkurgan 39 die Belegung vom inneren Kern aus verlaufen zu sein, nachdem kesselförmige Keramik in der Mitte, vasen- und topfförmige Keramik überwiegend gegen den Rand zu vorkommt.

Aus der Verteilung kessel- und topfförmiger Keramik in Großkurgan 37 hat es den Anschein, die Belegung habe sich von West nach Ost vollzogen.

Die Streuung der Keramik an anderen Stellen des Gräberfeldes vermag keine zusätzlichen Gesichtspunkte zur relativen Chronologie beizutragen. Auch lassen sich daraus — schon wegen der großen Anzahl der nicht untersuchten Gräber außerhalb der Großkurgane — keine Folgerungen über den zeitlichen Ablauf der Nekropole in toto ableiten.

Eine zusätzliche Bekräftigung der von uns vorgeschlagenen Chronologie der Keramik im šurmakzeitlichen Kokėl', wonach kesselförmige Typen am Anfang der Entwicklung stehen und von vasen- und topfförmigen abgelöst werden, ergibt sich aus der Überlagerung des Grabes VIII durch Grab IV in Kurgan 65. Das überlagerte Grab enthält ein kesselförmig-eiförmiges Gefäß mit unverzierten Henkeln, das über ihm befindliche jüngere Grab hingegen drei unverzierte Töpfe und ein verziertes vasenförmiges Gefäß.

Für die relative Chronologie noch aufschlußreicher als die Verteilung der

Keramik in den Großkurganen ist das Bild, das sich bei den Gräbern mit mehr als einem Gefäß aus der Kombination einzelner Gefäßtypen ergibt. Darüber unterrichtet folgende Kombinationstabelle, bei der nur abgebildete Stücke berücksichtigt worden sind.

Die Tabelle deutet insofern eine Polarisierung an, als kesselförmige Gefäße (Typ 1—4) nur in einem Fall (Gkg. 8 Gr. XX) mit eindeutigen[21] Töpfen vergesellschaftet sind. Kombinationen kesselförmiger Keramik mit verzierten Töpfen oder solchen mit Zapfen am Mundsaum kommen überhaupt nicht vor. Zwischen kesselförmiger und vasenförmiger Keramik besteht hingegen ausgesprochene Affinität. Das trifft sowohl auf verzierte (Typ 5) und unverzierte Vasen (Typ 6) zu. Vasenförmige Gefäße nehmen eine Stellung zwischen den kessel- und den topfförmigen Gefäßen ein und werden mit diesen Grundformen zusammen gefunden. Die Tabelle bekräftigt die Schlüsse, die sich aus der Verteilung der Gefäßtypen in den Großkurganen ableiten ließen.

Die Frage, ob bei der vasenförmigen Grundform verzierte vor der unverzierten Keramik einsetzte oder umgekehrt, oder ob beide gleichzeitig auftraten, bleibt vorerst ungeklärt.[22] Auch die Kombination mit der nachfolgenden topfförmigen Keramik bringt keine Lösung; die durch Vergesellschaftung bezeugte Affinität verzierter und unverzierter vasenförmiger zu topfförmiger Keramik ist in etwa gleich.

Auch wenn man die im Forschungsbericht nur beschriebenen und in der Tabelle nicht erfaßten Keramikkombinationen in die Betrachtungen einbezieht, ergibt sich dasselbe Bild. Dabei kann man zwar nur drei Grundtypen, kessel- (entsprechend Typ 1—4), vasen- (Typ 5—6) und topfförmige Gefäße (Typ 7—11) unterscheiden, doch zeigt sich eindeutig eine Affinität von kessel- zu vasenförmigen Gefäßen einerseits und vasen- zu topfförmigen Gefäßen auf der anderen Seite. Während Vergesellschaftungen kessel- und vasenförmiger Keramik in zehn Fällen bekannt sind[23] und Zusammenfunde von vasen- und topfförmiger Keramik in vierzehn Fällen vorliegen,[24] kommen kesselförmige und topfförmige Gefäße nur zweimal gemeinsam vor.[25]

---

[21] Bei den drei Fällen der Kombination mit Gefäßen des Typs 7 geht es um die „Mischform", die eine Stellung zwischen Vasen und Töpfen einnimmt.

[22] V.P. D'jakonova zählt vasenförmige unverzierte Gefäße größerer Ausmaße in Gkg. 11 zur jüngeren Fundschicht und weist sie dem 2.—5. Jahrhundert n. Chr. zu (Trudy TKAЁЁ 3,195). Eine solche Datierung erscheint uns verfehlt.

[23] Gkg. 26 Gr. III Best. 2.3. — Gkg. 11 Gr. V. XXVI. XXX. XXXII. LII. LXXVI. CXX. — Gkg. 39 Gr. XIX.

[24] Gkg. 11 Gr. XVII. XXI. XXII. XXXVI. XLI. XLIV. XLVII. XLVIII. LXXVII Best. 1. LXXIX. LXXXVIII. CIV. CXXXVIII. CXXXIX.

[25] Gkg. 11 Gr. IV B. LIX Best. 1.

Keramik (nur abgebildete Stücke)	1	2	3	4	5	6	7	8	9	10	11
Gkg 39, Gr. XL	•					•					
Gkg 8, Gr. XX	•							•			
Kg 34, Gr. IV			•		•						
Kg 65, Gr. IX			•	•		•					
Gkg 26, Gr. V				•	•						
Gkg 11, Gr. XXXI				•	•						
Gkg 26, Gr. II				•			•				
Gkg 26, Gr. III Best. 4				•			•				
Gkg 26, Gr. IV							•				
Gkg 11, Gr. LXVI Best. 2					•						
Gkg 11, Gr. LXVII Best. 2					•	•					
Gkg 39, Gr. VII Best. 2					•	•					
Kg 65, Gr. I					•	•		•			
Kg 4, Gr. IV					•			•			
Kg 33, Gr. V					•			•			
Gkg 11, Gr. LXXIV Best. 2					•			•			
Gkg 26, Gr. VIII					•			•			
Kg 65, Gr. III (Dreifachbestattung)					•			•	•		
Gkg 26, Gr. XII					•				•		
Kg 59					•						
Gkg 8, Gr. II											•
Gkg 39, Gr. VI						•					
Kg 7, Gr. IV						•		•			
Gkg 26, Gr. XIII						•		•			

Gkg 11, Gr. LXXXVIII
Gkg 11, Gr. CXXXVIII
Kg 12, Gr. III
Kg 7, Gr. VIII
Kg 33, Gr. A (Dreifachbestattung)
Kg 64, Gr. I
Gkg 11, Gr. CVII Best. 3
Kg 34, Gr. I
Kg 65, Gr. V
Gkg 26, Gr. XXXV (Doppelbestattung)
Gkg 26, Gr. VI
Gkg 26, Gr. I Best. 1
Gkg 26, Gr. XVIII
Gkg 11, Gr. CXXXIX
Gkg 26, Gr. XXXII
Gkg 26, Gr. XL
Kg 4, Gr. Ia
Gkg 8, Gr. XXIV
Kg 65, Gr. VI
Gkg 11, Gr. X (Doppelbestattung)
Gkg 11, Gr. XLVI
Gkg 11, Gr. LXXXIV
Gkg 11, Gr. CXL Best. 1
Kg 56
Kg 7, Gr. III (Doppelbestattung)
Gkg 26, Gr. XXX
Gkg 37, Gr. VI

Keramiktypen (s. Abb. 17):

1   3   4   5   6   7   8   9   10   11

Messer (nur abgebildete)

mit Ringgriff

Gkg 26, Gr. III Best. 3
Gkg 26, Gr. XII
Gkg 26, Gr. III Best. 1

mit Schlaufe

Gkg 37, Gr. VIII
Gkg 26, Gr. IX
Gkg 37, Gr. IX
Gkg 39, Gr. XL
Gkg 11, Gr. CXLI

mit Griffdorn

Gkg 26, Gr. XXVII
Gkg 39, Gr. XXXIII
Gkg 11, Gr. CVI Best. 2
Gkg 26, Gr. XXI
Gkg 26, Gr. XXVI
Kg 34, Gr. IV
Kg 40
Gkg 26, Gr. V
Gkg 26, Gr. XXXVIII Best. 2

Kg 65, Gr. IV (Dreifachbestattung)
Gkg 8, Gr. XIII
Kg 65, Gr. III

Gkg 26, Gr. XXXV
Gkg 26, Gr. XL
Gkg 26, Gr. VII
Gkg 26, Gr. XV Best. 1
Gkg 26, Gr. XIX
Gkg 8, Gr. XXIII
Gkg 8, Gr. XXIV
Kg 57
Gkg 11, Gr. CXL Best. 1
Gkg 11, Gr. LIX Best. 2
Gkg 11, Gr. CXLI Best. 2
Gkg 11, Gr. CXLI Best. 1
Gkg 11, Gr. CXVI

Als gesichert kann die zeitliche Abfolge der Messertypen gelten, wonach die ältesten mit Ringgriff von solchen mit Schlaufe abgelöst werden und diese wiederum von Messern mit Griffdorn. Auf diesen letzteren Typ entfällt die Mehrzahl der im Gräberfeld gefundenen Messer. Es fällt auf, daß Ringgriffmesser mit sieben Vorkommen auf den Großkurgan 26 beschränkt sind (Abb. 56). Das entspricht dem hohen Anteil kesselförmiger Gefäße in diesem Großkurgan. Für die beiden anderen Messertypen läßt sich aus der Verteilung keine Regelhaftigkeit ableiten. Bessere Aufschlüsse bietet die folgende Kombinationstabelle der Messer mit Keramik.[26]

Obwohl die frühe Zeitstellung der Ringgriffmesser anhand dieser Tabelle nicht erhärtet werden kann — ausschlaggebend für ihre chronologische Beurteilung bleibt die horizontalstratigraphische Lage und die typologische Ähnlichkeit mit den Messern der Ujuk-Zeit —, ergeben sich daraus Schlüsse auf die chronologische Stellung der Messer mit Schlaufe und mit Griffdorn. Nach der Tabelle korrespondieren Messer mit Schlaufe eher mit kesselförmiger Keramik (4 Kombinationen) als mit vasen- bzw. topfförmigen Gefäßen (je 1 Vergesellschaftung, wobei allerdings in Gkg. 39 Gr. XL neben dem vasenförmigen Gefäß auch noch ein kesselförmiges von Typ 1 enthalten ist). Griffdornmesser setzen indessen schon früh ein; sie sind außer der häufigen Kombination mit jüngerer Keramik schon zweimal mit Keramik Typ 1, fünfmal mit Typ 3 und zweimal mit Typ 4 vergesellschaftet. Umgekehrt ergeben sich aus der Chronologie der Messer Rückschlüsse auf die zeitliche Abfolge der Keramik, die das zur Keramikchronologie Gesagte zusätzlich erhärten: aus der Kombination mit Messern resultiert, daß sich Typ 1 der kesselförmigen Gefäße und Typ 11 der Töpfe als chronologische Antipoden gegenüberstehen. Während nämlich Typ 1 der Keramik dreimal mit Messern mit Schlaufe und zweimal mit Griffdornmessern vergesellschaftet ist, steht eine solche Kombination beim Topf Typ 11 im Verhältnis 1:6. Weniger klar ist die Lage beim kesselförmigen Typ 4, der mit allen drei Messertypen vorkommt. Kesselförmige Gefäße vom Typ 3 sind ausschließlich mit Messern mit Griffdorn kombiniert, was angesichts des frühen Aufkommens dieses Messertyps nicht überbewertet zu werden braucht.

Im Abschnitt über die Beigabenausstattung stand die Frage nach der Fundlage der Pfeilspitzen im Grab und nach ihrer Funktion (ob Ritualbeigabe, als Kampf- oder Jagdwaffe oder als Todesursache) im Vordergrund. Auf typenkundliche und chronologische Fragen wurde nicht eingegangen. Überlegungen über Zusammenhänge zwischen Alter des Bestatteten und der Anzahl der beigegebe-

---

[26] Es konnten nur abgebildete Stücke berücksichtigt werden.

nen Pfeilspitzen sind — soweit Angaben im Forschungsbericht dies ermöglichen — dem Abschnitt über soziale Verhältnisse vorbehalten.

Die überwiegende Mehrzahl der Pfeilspitzen aus dem šurmakzeitlichen Kokėl' ist aus Eisen, was sie von den ujukzeitlichen, die vorwiegend aus Bronze, gelegentlich aus Knochen bestehen, deutlich unterscheidet. Bronzene Pfeilspitzen „skythischen" Typs, die für weite Gebiete Eurasiens im zweiten Drittel des vorchristlichen Jahrtausends charakteristisch und auch in Tuva und den Nachbargebieten weit verbreitet sind, kommen im šurmakzeitlichen Fundstoff nicht mehr vor. Die wenigen bronzenen Exemplare aus Tuva haben nach Kyzlasov[27] außerhalb Tuvas keine Analogien und sind vom chronologischen Standpunkt unergiebig. Die Masse der im Expeditionsbericht abgebildeten Pfeilspitzen aus Tuva gehört zwei Grundtypen an, denen dreiflügelige Gestaltung des Blattes und das Vorhandensein eines Stieles (Stiftes) gemeinsam sind. Die Typeneinteilung ergibt sich aus der Form des Blattes, wobei zwischen drei Typen mit rhombischem und gleichfalls drei Typen mit gestuftem Blatt unterschieden werden kann (Abb. 18). In der Regel sind dreiflügelige eiserne Pfeilspitzen mit rhombischem kleiner als jene mit gestuftem Blatt (rhombische um 6 cm, gestufte 10 bis 12 cm).

Dreiflügelige eiserne Pfeilspitzen mit Stiel und rhombischem Blatt werden unterteilt in

Typ a: größte Breite im oberen Teil des Blattes
Typ b: größte Breite in der Mitte des Blattes
Typ c: größte Breite im unteren Teil des Blattes.

Dreiflügelige eiserne Pfeilspitzen mit Stiel und gestuftem Blatt weisen gleichfalls drei Typen auf.

Typ d: mit geflammt abgesetztem Oberteil des Blattes
Typ e: mit eingeschnürter Seitenkerbung
Typ f: mit schwach ausgebildeter Stufung.

Dreiflügelig und mit Stift versehen, doch mit tüllenförmig gestaltetem unteren Teil ist

Typ h: Blätter dreieckig, leicht geschwungen in tüllenartig verbreiteten Unterteil übergehend.

Seltener als die herausgestellten sieben dreiflügeligen Pfeilspitzentypen sind Pfeilspitzen

Typ g: Querschnitt oval, kolbenförmiger Umriß, das obere Ende abgestumpft.

Auch Typ g ist mit Stiften versehen. Innerhalb dieses Typs gibt es einige Varianten.

---

[27] Kyzlasov (Anm. 3) 108.

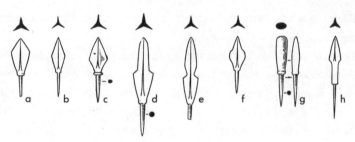

Abb. 18. Pfeilspitzen. Typen a—h.

Die Anzahl ganz aus Holz bestehender Pfeile war ursprünglich sicher größer, als dem Bericht zu entnehmen ist. Bei den abgebildeten Stücken handelt es sich um solche, bei denen das Ende leicht kolbenförmig verdickt und mit flachen Facetten versehen ist. Angesichts des so gestalteten stumpfen Endes sind sie als Jagdwaffe zu deuten. Bekanntlich dienten solche Pfeile der Vogel- und Pelztierjagd, da sie Gefieder bzw. Pelz schonten.[28]

Außer den Pfeilspitzen selbst sind in vielen Gräbern auch Pfeilschäfte erhalten geblieben. Viele von ihnen tragen rote, manchmal zusätzlich auch schwarze Bemalung als gegitterte umlaufende Zonen. Die Farbe rot stellt bei den Reiternomaden Innerasiens nach Aussage philologischer und archäologischer Quellen die bevorzugte Farbgebung dar.[29] Über die Holzart, aus der die Schäfte angefertigt waren, fehlen Angaben bis auf wenige Ausnahmen.[30] An einigen Pfeilen sind doppelkonische Vorrichtungen, sog. pfeifende Kolben (svistunki) erhalten geblieben. Sie sind mit seitlichen Löchern versehen und waren in erster Linie dazu bestimmt, mit ihrem summenden Ton während des Fluges dem Gegner Angst einzuflößen.[31]

Hinsichtlich der Verteilung der acht definierten Pfeilspitzentypen[32] im Gräberfeld (wobei nur abgebildete Stücke in Betracht gezogen werden können) zeichnet sich kein klares Bild ab, das mit Anhäufungen in einzelnen Gräberfeldabschnitten zeitliche Verschiebungen anzeigen würde (Abb. 57). Immerhin fällt

---

[28] K.U.-Kőhalmi, Der Pfeil bei den innerasiatischen Reiternomaden und ihren Nachbarn. Acta Orient. Hung. 6, 1956, 128.

[29] K.U.-Kőhalmi (Anm. 28) 150.

[30] Birke: Kg. 7 Gr. II. IV. — Kg. 68.
Weide: Kg. 59. — Kg. 65 Gr. IV Best. V.

[31] Dazu K.U.-Kőhalmi, Über die pfeifenden Pfeile der innerasiatischen Reiternomaden. Acta Orient. Hung. 3, 1953, 45 ff.

[32] Einige Stücke fügen sich nicht in das vorgeschlagene Schema ein (Gkg. 8 Gr. XI. XII. — Kg. 64 Gr. II. — Kg. 65 IV. V) und werden nicht behandelt.

auf, daß Pfeilspitzen des Typs f, die in Gkg. 26 zweimal, in den Gkg. 11 und 8 je einmal vorkommen, in den Gkg. 37 und 39 überhaupt nicht vertreten sind, während sie im Kg. 7 dreimal bzw. Kg. 65 zweimal gefunden wurden. Andererseits fehlt der Pfeilspitzentyp g außerhalb der Großkurgane.

In chronologischer Hinsicht am aufschlußreichsten scheint noch die Verteilung innerhalb des Gkg. 26 zu sein, der als der frühest belegte gilt. Zweierlei fällt dabei ins Auge:

— Pfeilspitzen des Typs c und h kommen in ihm überhaupt nicht vor;
— in der Verteilung zeigt sich eine Häufung des Typs g im SW, des Typs b vorwiegend im mittleren Teil und des Typs a vornehmlich im N-Teil des Großkurgans. Daraus kann geschlossen werden, daß Typ g wohl zu den ältesten im šurmakzeitlichen Kokél' gehört (seine Verbreitung deckt sich in etwa mit jener der kesselförmigen Keramik), der Typ h hingegen zu den jüngsten (er ist in Gkg. 26 überhaupt nicht vertreten). In Gkg. 11 nimmt Typ h nur die nördliche Hälfte ein, was ebenfalls von chronologischer Relevanz sein kann. Für einen jüngeren Zeitansatz des Pfeilspitzentyps h spricht auch ein vertikalstratigraphischer Befund in Kg. 65. Hier fanden sich in Gr. IV einige Pfeilspitzen dieses Typs über dem Gr. VIII, das eine Pfeilspitze Typ f enthielt.

Eine klare chronologische Abgrenzung der einzelnen Typen gegeneinander läßt auch die nachfolgende Tabelle der Kombination mit Keramik vermissen.

Nach dieser Tabelle kommen die beiden am stärksten vertretenen Pfeilspitzentypen a und b mit allen Keramiktypen kombiniert vor, außer mit Keramik 10 (unverzierte Töpfe mit vier Zapfen am Mundsaum). Setzt man voraus, Keramik 1 sei die älteste und 11 die jüngste, deutet sich in der Kombination eine zeitliche Priorität des Typs a vor b an. Während Typ a dreimal mit Keramik 1 vergesellschaftet ist, ist dies bei Typ b nur einmal der Fall. Umgekehrt ist das Verhältnis zu Keramik 11. Bei einer einzigen Kombination des Typs a gibt es deren vier mit Typ b. Das Fehlen von Kombinationen des Pfeilspitzentyps h mit kesselförmiger Keramik scheint über die vorherigen Ausführungen hinaus die junge Zeitstellung dieses Pfeilspitzentyps zu bestätigen. Für die übrigen Pfeilspitzentypen lassen sich aus der Kombinationstabelle keine chronologisch relevanten Schlüsse ableiten.

Dreiflügelige Pfeilspitzen mit Stiel und gestuftem Blatt (unsere Typen d, e, f) kleiner Ausmaße sind im 1. Jahrhundert vor und im 1. Jahrhundert nach der Zeitenwende bei den Hunnen, in der Taštyk-Kultur und am oberen Ob bekannt. In den ersten Jahrhunderten n. Chr. treten Pfeilspitzen desselben Grundtyps, jedoch größerer Ausmaße, im Altai-Gebiet sowie an den Flüssen

Keramiktypen (Abb. 17):

1 2 3 4 5 6 7 8 9 10 11

Pfeilspitzen (nur abgebildete)

Pfeilspitzen Typ a

Gkg 26, Gr. XXVII
Gkg 11, Gr. CIX
Gkg 37, Gr. VIII*)
Gkg 37, Gr. XXXIII Best. B*)
Gkg 26, Gr. XXI*)
Gkg 26, Gr. XXXVIII Best. 1
Gkg 26, Gr. XXXIX*)
Kg 34, Gr. IV
Gkg 26, Gr. X*)
Gkg 37, Gr. IX
Gkg 37, Gr. XXIII Best. B*)
Gkg 26, Gr. V
Gkg 26, Gr. IV
Gkg 11, Gr. LXXIV Best. 2*)
Kg 65, Gr. III*)
Gkg 11, Gr. CXXXVIII*)
Gkg 26, Gr. XX*)
Gkg 11, Gr. LXXXIV
Gkg 39, Gr. XV*)

Pfeilspitzen Typ b

Gkg 26, Gr. IX
Gkg 37, Gr. XXXIII Best. B*)
Gkg 26, Gr. XXVI*)

Gkg 26, Gr. XXXIX *)
Gkg 11, Gr. CIV Best. 2
Gkg 8, Gr. XXV
Kg 40
Gkg 26, Gr. X*)
Gkg 11, Gr. XL Best. 1
Gkg 11, Gr. XXXI*)
Gkg 26, Gr. III Best. 4*)
Gkg 39, Gr. IX*)
Kg 12, Gr. III*)
Gkg 26, Gr. XIII
Gkg 11, Gr. CXXXVIII*)
Kg 65, Gr. V
Gkg 26, Gr. XVIII
Kg 4, Gr. I a
Kg 4, Gr. III
Gkg 8, Gr. V
Gkg 8, Gr. XII
Gkg 8, Gr. XXIII
Kg 57
Gkg 11, Gr. CXVI*)
Gkg 39, Gr. XXIX
Gkg 39, Gr. XV*)

Pfeilspitzentyp c
Gkg 37, Gr. XXIII Best. B*)
Gkg 39, Gr. IX*)
Gkg 11, Gr. CI

*)Grab enthält mehrere abgebildete typologisch bestimmbare Pfeilspitzen verschiedenen Typs.

Keramiktypen (Abb. 17):

Pfeilspitzen (nur abgebildete)	1	2	3	4	5	6	7	8	9	10	11
Pfeilspitzen Typ d											
Gkg 11, Gr. CXXVI	●										
Gkg 37, Gr. VIII*)	●										
Gkg 26, Gr. XXVI*)			●								
Gkg 11, Gr. XL Best. 2				●							
Gkg 11, Gr. XXXI*)				●	●						
Gkg 26, Gr. III Best. 4*)				●							
Gkg 11 Gr. LXXIV Best. 2*)					●			●			
Kg 12, Gr. III*)						●	●				
Gkg 26, Gr. XX*)								●			
Pfeilspitzen Type e											
Gkg 11, Gr. XXXI*)				●	●						
Kg 28					●						
Pfeilspitzen Typ f											
Gkg 8, Gr. XX		●						●			
Gkg 26, Gr. XXI*)			●								
Kg 7, Gr. IV			●								
Kg 65, Gr. VIII											
Kg 65, Gr. III*)				●							
Kg 7, Gr. I						●					
Gkg 8, Gr. XIX								●	●		
Gkg 11, Gr. CXVI*)											●

Pfeilspitzen Typ g
Gkg 26, Gr. XXI*)
Gkg 26, Gr. III Best. 4*)
Gkg 11, Gr. LXXIV Best. 2*)
Gkg 26, Gr. XI Best. 1
Gkg 39, Gr. VIII
Gkg 26, Gr. VI Best. 2

Pfeilspitzen Typ h
Gkg 11, Gr. LXXIV Best. 2*)
Kg 65, Gr. IV
Gkg 11, Gr. CVII Best. 3
Gkg 8, Gr. XXII

*) Grab enthält mehrere abgebildete typologisch bestimmbare Pfeilspitzen verschiedenen Typs.

Jenissej, Ob und Tom in Erscheinung. Eine genaue typenkundliche Bearbeitung dieser Pfeilspitzengattung steht noch aus.[33]

Die von uns ausgesonderten Typen a, b und c haben ebenso Bezüge zu früh-hunnischen Funden. Kyzlasov weist den kleinen dreiflügeligen Typen mit rhombischem Blatt und Stiel, die diesen drei Typen entsprechen, in Tuva die Zeit vom 2. Jahrhundert vor bis zum 2. Jahrhundert nach Chr. zu, während Pfeilspitzen derselben Form, jedoch größerer Ausmaße, der Zeit vom 3. bis zum 5. Jahrhundert angehören.[34] Die Exemplare aus Kokél' gehören durchweg der kleinen Variante an.

Pfeilspitzen vom Typ g sind in den zeitgleichen Kulturen außerhalb Tuvas unbekannt. Bei ihnen scheint es sich um eine lokale Form zu handeln.

Von den wenigen in Kokél' gefundenen beinernen Pfeilspitzen war bereits im Abschnitt Beigabenausstattung die Rede.

Neben Keramik, Messern und Pfeilspitzen eignen sich auch Gürtelschnallen (Abb. 19) dazu, Vorstellungen über die chronologische Stellung des Gräberfel-des zu vermitteln. Das Typenspektrum der Schnallen ist, ähnlich jenem der Pfeilspitzen, nicht allzu breit. Es umfaßt zwei Typen mit starrem und vier Typen mit beweglichem Dorn. Die Schnallen bestehen, von wenigen bronzenen Exemplaren abgesehen, aus Eisen. Zwei der bronzenen Schnallen — eine aus Gkg. 11 Gr. LXVI Best. 2 (Abb. 43, B1), die andere aus Gkg. 26 Gr. XXX (Abb. 34, C3) — kommen aus dem Formenbestand der Taštyk-Kultur, alle ande-ren aus Eisen und Bronze scheinen heimische Erzeugnisse zu sein. Die Schnalle aus Gkg. 11 gehört dem von Kyzlasov ausgesonderten Typ 1 der Schnallen aus der ersten Etappe der Taštyk-Kultur (1. Jahrhundert v. — 1. Jahrhundert n. Chr.) an, jene aus Gkg. 26 dem Typ 6 aus derselben Zeit.[35]

Die einheimischen Schnallen gliedern sich in Schnallen mit starrem Dorn
Typ a: lyraförmiger Gestalt
Typ b: länglich-trapezförmiger Gestalt, mit Riemenkappe
   Schnallen mit beweglichem Dorn
Typ c: längliche Achterschnallen
Typ d: runde
Typ e: rechteckige, mit oder ohne Riemenkappe
Typ f: ovale, mit Riemenkappe

---

[33] Kyzlasov (Anm. 3) 108 f.
[34] ders., ebd. 108.
[35] Kyzlasov (Anm. 7) 36 f.

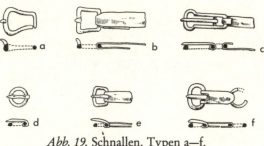

Abb. 19. Schnallen. Typen a—f.

Der lyraförmige Schnallentyp a und der länglich-trapezförmige Typ b mit Riemenkappe, beide mit starrem Dorn, ähneln Schnallen der frühen Taštykzeit (1.
Jahrhundert vor bis 1. Jahrhundert nach Chr.), Typ a außerdem noch sarmatischen Schnallen aus dem 3.—2. Jahrhundert v. Chr.[36]

Achterförmige Schnallen vom Typ c, bei denen der bewegliche Dorn an
einem Quersteg des langgezogenen Hinterteils im letzten Drittel der Schnallen-
länge befestigt ist, fügen sich in eine weiträumige Verbreitung ein. Ähnliche
Stücke sind aus sarmatischen Bestattungen an der unteren Wolga um die Zeitwende überliefert.

Runde Schnallen mit beweglichem Dorn (Typ d), die meisten ohne Riemenkappe, sind die in Kokėl' am stärksten vertretene Schnallenform. Bei der
Schlichtheit ihrer Gestaltung sind sie weder zeitlich empfindlich noch räumlich
näher einzuordnen. Sie begegnen sowohl in der Frühphase der Taštyk-Kultur als
auch in den Gräbern früher Hunnen und der Sarmaten Südrußlands. Sie werden
in die zwei letzten Jahrhunderte v. Chr. und das 1. Jahrhundert n. Chr.
datiert.[37] Runde Schnallen kleinerer Ausmaße sind bei den Sarmaten (Procho-
rovka-Kultur) seit dem 3. und 2. Jahrhundert v. Chr. bekannt.

Für die gleichfalls mit beweglichem Dorn ausgestatteten eisernen Schnallentypen e und f finden sich Entsprechungen in den Nachbargebieten. Für Typ e
sind es Funde aus den frühhunnischen Kurganen von Noin-Ula in der Mongolei
(1. Jahrhundert v. Chr.), für den Typ f Analogformen bei den Sarmaten des 1.
und 2. Jahrhunderts nach Chr. und in mittelasiatischen Katakombengräbern
derselben Zeit.[38]

In Innerasien wird man mit dem ersten Auftreten eiserner Schnallen mit
beweglichem Dorn nicht später als seit dem 4. Jahrhundert v. Chr. zu rechnen

---

[36] ders. (Anm. 3) 111.
[37] ders. (Anm. 3) 111.
[38] ders. (Anm. 3) 111.

Keramiktypen (Abb. 17):

Schnallen (nur abgebildete)	1	2	3	4	5	6	7	8	9	10	11
Schnallen Typ a											
Kg 7, Gr. IV	●										
Kg 65, Gr. I					●	●		●			
Gkg 37, Gr. V									●		
Kg 7, Gr. V										●	
Schnallen Typ b											
Gkg 39, Gr. XLV*		●									
Gkg 26, Gr. XXXVIII Best.1				●							
Gkg 8, Gr. XXI						●					
Kg 41, Best. 2*						●					
Gkg 26, Gr. XXXII*							●			●	
Gkg 8, Gr. XIV								●			
Gkg 26, Gr. XXX*										●	●
Gkg 11, Gr. LXXI Best.2											●
Schnallen Typ c											
Gkg 39, Gr. XLV*		●									
Gkg 11, Gr. XLVI Best.2					●			●			
Schnallen Typ d											
Gkg 26, Gr. XXVII	●										
Gkg 11, Gr. CIX	●										
Gkg 39, Gr. XL	●					●					
Gkg 37, Gr. XXXIII Best.B		●									
Gkg 26, Gr. XXI*			●								
Gkg 26, Gr. XXVI			●								
Kg 40			●								
Kg 65, Gr. IX			●			●					
Gkg 26, Gr. VIII					●			●			

Kg 59
Kg 65, Gr. III
Kg 41, Best. 2*)
Gkg 39, Gr. V
Gkg 26, Gr. XIII
Kg 65, Gr. V
Gkg 26, Gr. III Best. 1
Gkg 26, Gr. XXXII*)
Gkg 26, Gr. XL
Gkg 8, Gr. XXIV
Kg 65, Gr. VI
Gkg 26, Gr. XX
Kg 170 (Doppelbestattung)
Gkg 39, Gr. I Best. 2
Gkg 8, Gr. XIX
Gkg 26, Gr. I Best. 3
Gkg 11, Gr. LXIII
Gkg 26, Gr. XVII
Gkg 11, Gr. LIX Best. 2
Gkg 26, Gr. XXX*)
Kg 7, Gr. VII
Gkg 11, Gr. CXVI
Gkg 39, Gr. XV
Gkg 39, Gr. XXXIX
Schnallen Typ e
Gkg 26, Gr. XXI*)
Kg 57

*) Grab enthält mehrere abgebildete typologisch bestimmbare Schnallen verschiedenen Typs.

haben. Die endgültige Ablösung der Schnallen mit starrem und das Überhand-
nehmen jener mit beweglichem Dorn erfolgte nach Litvinskij[39] um die Zeitwende.

Die Verteilung der Schnallen im Gräberfeld (Abb. 58) ist das Spiegelbild ihrer
chronologisch begrenzten Aussagekraft. Entgegen der Erwartung, typenkundlich frühe Stücke (Typen a und b) dominierten im „alten" Großkurgan 26, liegt
der Schwerpunkt ihres Vorkommens eher in den jüngeren Großkurganen 37
und 39. Im Großkurgan 11 zeichnet sich eine gewisse Häufung des Typs b in der
Kurganmitte ab, was ein möglicher Hinweis auf ihre begrenzte Lebensdauer sein
könnte. Offensichtlich ist der am häufigsten vorkommende Schnallentyp d (runde Schnallen mit beweglichem Dorn) langlebig und war während der ganzen
Belegungsdauer des šurmakzeitlichen Kokėl' in Gebrauch. Außer dem Vorkommen dieses Schnallentyps im SW des Großkurgans 26, wo die älteste Keramik
gefunden wurde, ergibt sich dies auch aus der vorstehenden Kombinationstabelle der Schnallenformen mit Keramik.

Daraus ist zu erkennen, daß sich keine der fünf erfaßten Schnallentypen zeitlich enger begrenzen läßt. Schnallen des Typs d kommen mit allen drei keramischen Grundformen kombiniert vor, und auch die typenkundlich alten Schnallen a und b zeigen keinerlei Präferenzen. Die Enge des Typenspektrums der
Schnallen deutet, ähnlich der geringen Zahl von Pfeilspitzenformen, offensichtlich darauf hin, daß die Belegungsdauer des šurmakzeitlichen Kokėl' auf eine
relativ kurze Zeit begrenzt war.

Nach der wichtigen Feststellung über die relativ kurze Belegungsdauer wird
man bei den meisten anderen ihrer Bestimmung nach praktischen Zwecken dienenden Gegenständen kaum technische Innovationen (wie bei Pfeilspitzen) oder
modebedingte Veränderungen (wie bei Schnallen) chronologisch verwertbarer
Art zu erwarten haben. Der schlechte Erhaltungszustand von Gegenständen aus
organischem Material, wie Bögen und Köcher, behindert eine genaue Bestimmung. Bei den Bögen schließt das die Möglichkeit aus, Überlegungen zur Krüm-
mungsart des Bogenstabes oder die Befestigungsweise der Sehne anzustellen.
Dem Typ nach gehören die in Kokėl' gefundenen Stücke zur Gattung „hunnischer" zusammengesetzter Bögen, die durch zwei Paare beinerner Endauflagen
mit Einschnitten für die Sehne und drei beinernen Mittelauflagen charakterisiert
sind.[40] Durch diese Beinauflagen unterscheiden sie sich von den älteren „skythi-

---

[39] B. A. Litvinskij, Ukrašenija iz mogil'nikov zapadnoj Fergany. Mogil'niki zapadnoj Fergany 3
(1973) 80 f.

[40] Kyzlasov (Anm. 3) 107.

schen" Bögen, deren Bogenstab zwar gleichfalls aus mehreren Stücken Holz zusammengesetzt war, bei denen indes anstelle der der Festigkeit dienenden sieben Beinauflagen an den Enden und in der Mitte des Bogenstabes unbiegsame Holzstücke eingesetzt wurden. Bögen „skythischen" Typs waren bis Südsibirien und China verbreitet.

Das früheste Aufkommen hunnischer Bögen ist aus Transbaikalien nachgewiesen, wo sie kurz vor der Zeitwende in Erscheinung traten und allmählich Bögen „skythischen" Typs in weiten Gebieten Innerasiens verdrängten. Bei den Sarmaten findet man kleinere Auflagen frühestens während des 1. und 2. Jahrhunderts n. Chr.

Es gibt noch einen wesentlichen Unterschied zwischen „hunnischen" und „skythischen" Bögen. Durch die beinernen Auflagen der „hunnischen" wird ein Großteil des Bogenstabes immobilisiert. Um seine Funktionsfähigkeit zu erhalten, muß der Bogen verlängert werden. So erreichen die „hunnischen" Bögen im Schnitt eine Länge zwischen 120 und 160 cm.[41] Die in Kokėl' gefundenen Stücke erreichen diese Länge nicht, müssen aber trotzdem wegen der beinernen Auflagen den „hunnischen" Bögen zugeordnet werden.[42] Die Tatsache allein, daß in Kokėl' Bögen hunnischer Machart gefunden wurden, hat chronologischen Aussagewert.

Für chronologische Zwecke unergiebig sind Köcher, da nur teilweise erhalten, sowie hölzerne Waffenmodelle, die wegen ihrer rituellen Bestimmung am Formenwandel nicht teilhatten. Hölzerne Bogenmodelle sind zwischen 0,60 und 1,20 m lang und tragen Spuren roter, seltener schwarzer Bemalung. Ob es sich bei der Verzierung der Bogenstäbe in Zickzackform um eine Nachahmung der Bespannung echter Bögen mit Sehnen oder nur um ein Dekorationselement handelt, kann nicht entschieden werden, doch spricht die Vorliebe für diese Verzierungsart in Kokėl' (sie kommt auch auf Holzschachteln vor) eher für letzteres.

Gleichfalls mit Farbe und zusätzlich mit Schnitzereien verziert sind die hölzernen Dolch- und Schwertmodelle. Sie sind in chronologischer Hinsicht insofern von Interesse, als sie nach Kyzlasov[43] nur der frühen Taštykzeit (1. Jahrhundert

---

[41] A.M. Chazanov, Očerki voennogo dela sarmatov (1971) 28 ff.

[42] Kyzlasov (Anm. 3) 107 ordnet die in Kokėl' gefundenen Bögen dem „hunnischen" Typ zu. Den Angaben im Expeditionsbericht ist nicht zu entnehmen, ob alle Bögen auch mit beinernen Lamellen versehen waren. Ausdrücklich erwähnt werden beinerne Auflagen bei den Bögen aus Gkg. 11 Gr. XXVII (L. 1,15 m) und Gkg. 26 Gr. XXVI (L. 0,95 m).

[43] Kyzlasov (Anm. 3) 110.

vor bis 1. Jahrhundert nach Chr.) und der Frühphase der Šurmak-Kultur eigen sind.

Die in Kokėl' gefundenen eisernen Lanzenspitzen gehören, soweit abgebildet, überwiegend dem Typ mit langer, im Querschnitt runder, seitlich geschlitzter Tülle und schwach ausgebildetem Blatt linsenförmigen Querschnitts an. Bei einigen Exemplaren ist das Blatt etwas stärker ausgeprägt und rhombisch gestaltet, indes gleichfalls linsenförmigen Querschnitts (Kg. 12 Gr. II. III) (Abb. 53, B1;C6). Die Tülle ist auch bei diesen beiden Lanzenspitzen lang und seitlich geschlitzt. Da eine Chronologie der šurmakzeitlichen Lanzenspitzen noch aussteht und die synchrone Taštyk-Kultur so gut wie keine Lanzenspitzen kennt, läßt sich eine zeitliche Beurteilung der Lanzenspitzen aus Kokėl' vorerst nicht vornehmen. In der vorhergehenden Ujuk-Kultur sind Lanzenspitzen in Tuva selten. Das relativ häufige Vorkommen dieser Nahkampfwaffe deutet offensichtlich auf die verstärkte Rolle berittener Krieger während der Šurmak-Zeit hin.

Von den in Kokėl' gefundenen acht Schwertern und zwei Dolchen wird nur ein Schwert abgebildet (Gkg. 26 Gr. XLI) (Abb. 37, A1). Es handelt sich um ein unvollständig erhaltenes Kurzschwert mit Ringgriff, einen Typ, der um die Zeitwende über weite Gebiete Eurasiens in Verwendung war.[44]

Von den Ohrringen, die in elf Gräbern gefunden wurden, sind nur fünf sichere und ein vermutlicher[45] abgebildet. Bei den abgebildeten handelt es sich um je einen Ohrring aus Gold in Form eines mit getriebenen Punkten verzierten Plättchens mit Anhängehaken[46] und um je ein goldenes Stück in Form einer gerollten Spirale.[47] Bei den restlichen Exemplaren aus fünf Gräbern[48] reicht die Beschreibung im Expeditionsbericht zu einer Typenbestimmung nicht aus. Goldene Ohrringe kommen dreimal in Gräbern vor, die auch weitere Gegenstände aus Gold enthalten.[49] Die Ausstattung der Verstorbenen mit Ohrringen scheint ein Unterscheidungskriterium gegenüber der Taštyk-Kultur zu sein; in ihr wurde dieser Brauch nicht geübt.[50]

Was die Zeitstellung der in Kokėl' gefundenen Ohrringe anlangt, müssen wir

---

[44] Bei den Sarmaten dominieren kurze Ringgriffschwerter während des 1. Jahrhunderts vor und des 1. Jahrhunderts nach Chr. Sie lösen Langschwerter mit sichelförmigem Griff ab. Vgl. Chazanov (Anm. 41) 44.

[45] Gkg. 11 Gr. XXXII (bronzener Gegenstand in Gestalt eines Angelhakens).

[46] Gkg. 26 Gr. XXXVIII Best. 1.2. — Gkg. 37 Gr. XXIX.

[47] Gkg. 39 Gr. XXXIII. — Kg. 32 Gr. V.

[48] Zum Vorkommen von Ohrringen vgl. Abschnitt Beigabenausstattung.

[49] Gkg. 26 Gr. XXXVIII Best. 1.2. — Gkg. 37 Gr. XXIX.

[50] Kyzlasov (Anm. 7) 84.

uns mangels Vergleichsstücken aus Nachbargebieten[51] mit der Feststellung begnügen, daß alle fünf abgebildeten goldenen Ohrringe aus Kokėl' mit kesselförmiger Keramik vergesellschaftet sind.[52] Das spricht für einen frühen Zeitansatz innerhalb der Šurmak-Zeit.

Von den fünf goldenen und fünf bronzenen Halsringen[53] sind nur zwei goldene[54] abgebildet. Bei ihnen handelt es sich um tordierte Exemplare mit kleinen Ringen an den Enden, die wohl zur Befestigung am Kleidungsstück dienten. Nach der Beschreibung der nicht abgebildeten zu schließen, geht es bei ihnen um Halsringe zumindest teilweise identischen Aussehens. Vergleichsstücke findet man im Verbund der Taštyk-Kultur, wo solche Halsringtypen ausschließlich aus der Frühphase bekannt sind.[55] Auch innerhalb der Šurmak-Kultur scheint dieser Halsringtypus früh einzusetzen, da er viermal[56] mit Holzfäßchen kombiniert vorkommt.

Gleich den Holzfäßchen, die wegen ihrer häufigen Vergesellschaftung mit kesselförmiger Keramik der älteren Fundschicht des šurmakzeitlichen Kokėl' zuzuordnen sind, verhält es sich auch mit den Metallgefäßen. Zumindest für jene, die mit Holzfäßchen kombiniert sind[57] oder mit Messern mit Ringgriff bzw. frühen Schnallen oder kesselförmiger Keramik vorkommen,[58] ist ebenfalls ein früher Zeitansatz anzunehmen. Beim derzeitigen Forschungsstand ist eine genauere Datierung der Metallgefäße nicht möglich.

Mangels Abbildungen ist keine typenkundliche Beurteilung der in Kokėl' gefundenen Teile der Pferdeausrüstung möglich. Es bleibt nur die allgemeine Feststellung, wonach Pferdegeschirr offensichtlich während der gesamten Belegungszeit des šurmakzeitlichen Kokėl' ins Grab gelegt wurde (Abb. 60), da es sowohl mit Messern mit Schlaufe und kesselförmiger Keramik[59] als auch mit Keramik vom Typ 11[60] kombiniert vorkommt.

---

[51] Je einen bronzenen Ohrring in Form einer gerollten Spirale fand man in den Kurganen 6 und 44 von Surch in Nord-Tadžikistan. — Vgl. Litvinskij (Anm. 39) 34.45 und Taf. 1,13. Er datiert diesen Typ in Innerasien in das 6. und 7. Jahrhundert n. Chr.

[52] Bei Gkg. 37 Gr. XXIX wird das Gefäß nicht abgebildet, doch dürfte es sich nach der Beschreibung um ein kesselförmiges handeln.

[53] Vgl. auch Abschnitt Beigabenausstattung.

[54] Gkg. 26 Gr. XLI und Gkg. 37 Gr. XXIX.

[55] Kyzlasov (Anm. 7) 84 und 80 Abb. 28,20.

[56] Gkg. 11 Gr. III. XL Best. 3. XLVI. — Gkg. 26 Gr. XLI.

[57] Gkg. 11 Gr. III. XLVI. LVII.

[58] Gkg. 26 Gr. III Best. 1. VI Best. 1. VIII. — Kg. 7 Grab im Mantel des Kurgans.

[59] Gkg. 11 Gr. XXIII. CXIII.

[60] Gkg. 11 Gr. CXL Best. 1. CXLI Best. 2.

Der derzeitige Forschungsstand erlaubt es nicht, zur Chronologie Überlegungen über das bisher Gesagte hinaus anzustellen. Er reicht eben dazu aus, Tendenzen in der zeitlichen Abfolge einiger Fundgattungen anzuzeigen, ist aber keinesfalls geeignet, die einzelnen Grabinventare im Verbund zeitlich definierter Stufen zueinander in Bezug zu setzen, um auf dieser Grundlage eine innere Gliederung des Gräberfeldes zu ermöglichen, womit im Idealfall die Datierung der Mehrzahl der Grabinventare gewährleistet wäre. Gelegentliche Überschneidungen der Gräber waren in zwei Fällen (bei der Keramik und der Abfolge der Pfeilspitzen) chronologisch auswertbar; die anderen Grabstörungen durch jüngere Bestattungen sind ohne Belang.

Die Betrachtungen zur Zeitstellung der Keramik zeigen, daß bei ihr entweder ein Zusammenhang mit älterem Formenbestand, allerdings außerhalb des tuvinischen Gebietes, besteht (kesselförmige Keramik gibt es in der Tagar-Kultur am mittleren Jenissej seit dem 5. Jh. v. Chr.) oder Verbindungen zur Frühphase der Taštyk-Kultur vorliegen (vasenförmige Keramik tritt hier als Folge der Bevölkerungsverschiebungen aus Tuva in der Mitte des 1. vorchristlichen Jahrhunderts in Erscheinung). Bei den übrigen Gefäßtypen handelt es sich gleichfalls um einheimische Formen, deren Entstehung und Verbreitung indes auf Tuva beschränkt bleibt. Messer mit Ringgriff und solche mit Schlaufe zählen sicherlich zur älteren Fundschicht. Messer mit Ringgriff setzen mit ihrer Gestalt ujukzeitliche Tradition fort. Einen Bruch zur vorhergehenden Ujuk-Zeit bilden hingegen Pfeilspitzen und Bögen, die starke Verknüpfungen zu frühhunnischen Materialien aufzeigen. Wichtig ist dabei die Feststellung Kyzlasovs, wonach die im Gräberfeld am stärksten vertretenen und von uns als Typen a, b und c bezeichneten Pfeilspitzen kleinerer Ausmaße die Zeit vom 2. Jh. vor bis in das 2. Jh. nach Chr. einnehmen. Nachdem diese drei Pfeilspitzentypen mit allen keramischen Formen des Gräberfeldes Kokél' kombiniert sind, wird damit auch der zeitliche Rahmen der Keramik als der in chronologischer Hinsicht aussagekräftigsten Fundgattung abgesteckt. Einer solchen Datierung in die beiden letzten vorchristlichen Jahrhunderte und nach der Zeitwende widersprechen weder die Schnallenformen noch Ohrringe, Halsringe oder andere typenkundlich näher definierbare Gegenstände.

Das enge Typenspektrum und die Undurchführbarkeit einer klaren Stufengliederung sprechen für eine verhältnismäßig kurze Belegungsdauer des šurmakzeitlichen Gräberfeldes, die wohl kaum länger als drei bis vier Jahrhunderte betragen haben dürfte. Den Belegungsbeginn wird man wohl mit der Herausbildung der Šurmak-Kultur im 2. Jahrhundert v. Chr. gleichsetzen dürfen, das Vorkommen von Fragmenten ausschließlich Han-zeitlicher Spiegel schließt eine

Belegung nach dem 2. nachchristlichen Jahrhundert aus. Der Šurmak-Kultur wird von Kyzlasov die Zeit zwischen dem 2. Jahrhundert vor und dem 5. Jahrhundert nach Chr. zugewiesen, wobei die Frühphase die ersten drei, die Spätphase die nachfolgenden vier Jahrhunderte umfaßt. Zwischen diesen beiden Phasen besteht ein ganz wesentlicher Unterschied: die Spätphase ist durch Brandbestattungen charakterisiert.[61] Mit zwei Ausnahmen (Gkg. 11, Gr. L Best. 2 und Kg. 53 Best. 2) fehlen diese in Kokėl'. Die Zeit vom 2. bis zm 5. Jahrhundert n. Chr. zählt (neben der Periode vom 12. bis zum 16. Jahrhundert n. Chr.) zu den archäologisch am schwächsten erforschten Epochen der Geschichte Tuvas.[62]

Auch in weiten Gebieten Innerasiens ist der Zeitabschnitt zwischen der Auflösung der hunnischen und dem Aufkommen der Türkenherrschaft in der Mitte des 6. Jahrhunderts ein noch weitgehend unerforschtes Feld.[63] Unsere chronologische Beurteilung von Kokėl' steht mit diesen Erkenntnissen insofern im Einklang, als hier keine Gegenstände ausgemacht wurden, die man nach dem heutigen Forschungsstand der Zeit nach dem 2. Jahrhundert n. Chr. zuordnen könnte. Weitere Ausgrabungen, auch in den Nachbargebieten, werden zeigen, ob unsere Auffassung, das šurmakzeitliche Kokėl' innerhalb der Zeitspanne von den beiden ersten vorchristlichen bis Ende des 1. Jahrhunderts n. Chr. einzuordnen, aufrechtzuerhalten ist.[64]

---

[61] Die seltenen Körperbestattungen der Spätphase befinden sich in Plattengräbern (Kyzlasov [Anm. 3] 115). — Vgl. auch K. Jettmar in: Handbuch der Orientalistik, 1. Abt. 5. Band, 5. Abschnitt (1966) 77.

[62] M. Ch. Mannaj-ool. Die archäologische Erforschung Tuvas (russ.): Učenye Zapiski Tuv. nauč.-issled. instituta jazyka, literatury i istorii Kyzyl 15, 1971, 111.

[63] Ė. Novgorodova, Alte Kunst der Mongolei (1980) 209.

[64] Die Annahme von D'jakonova (Trudy TKAĖĖ 3 [1970] 195), wonach sich im Gräberfeld, das im 1. Jahrhundert v. Chr. beginne, auch Materialien bis ins 5. Jahrhundert n. Chr. ausmachen ließen, es also bis zum Ende der Šurmak-Kultur belegt wurde, scheint nach alledem unzutreffend. — Der gute Erhaltungszustand reichlich vorhandenen Holzes bietet optimale Möglichkeiten für dendrologische Untersuchungen. Dies wurde bisher nicht genutzt.

Soziale Verhältnisse

Ein herausragendes Merkmal des šurmakzeitlichen Gräberfeldes Kokėl' ist die Anordnung der Gräber, die entweder im Verbund von Großkurganen oder als einzelne Bestattungen zwischen den Großkurganen angelegt sind. Eine Interpretation dieses Sachverhaltes ist insofern erschwert, als ein Großteil der Bestattungen außerhalb der Großkurgane noch der Untersuchung harrt. Theoretisch wäre bei den Großkurganen daran zu denken, ihre Anlage sei nacheinander, nachdem einer der Plätze erschöpft war, erfolgt. Dagegen spricht indes die Verteilung chronologisch aussagekräftiger Gegenstände, die zwar eine zeitliche Überlappung des Belegungsablaufes anzeigt, nicht aber als chronologisches Nacheinander aufgefaßt werden kann. Als unzutreffend erwies sich auch die Deutungsmöglichkeit, bei den einzelnen Großkurganen handle es sich um nach Altersklassen, Geschlechtszugehörigkeit oder sozialer Stellung angelegte Beisetzungsstätten, da in allen Großkurganen Angehörige beiderlei Geschlechts aller Altersstufen und unterschiedlicher sozialer Stellung beigesetzt worden sind.

Von den 475 im šurmakzeitlichen Kokėl' Bestatteten liegen für 316 Individuen gesicherte, nach anthropologischer und archäologischer Beurteilung identische Bestimmung von Geschlecht und Alter oder nur aus anthropologischer Sicht

	Zahl der Beigesetzten	eindeutig bestimmt	nur archäologisch bestimmt	anthrop. u. archäol. Bestimmung nicht übereinstimmend	unbestimmt
Gkg. 26	59	43	7	2	7
Gkg. 11	182	114	41	9	18
Gkg. 39	57	44	6	3	4
Gkg. 37	41	30	5	3	3
Gkg. 8	28	23	1	2	2
Kleine, Einzelkurg., Flachgräber	108	62	20	4	22
	475	316	80	23	56

vorgenommene Befunde vor. Außerdem wurden 80 Skelette nur von archäologischer Seite nach Geschlecht und Alter bestimmt. In 23 Fällen weichen die anthropologischen von den archäologischen Befunden ab. Für 56 Skelette fehlen entsprechende Angaben.

Nach den drei Zuverlässigkeitsgraden geordnet (gesichert, nur archäologisch bestimmt, anthropologischer vom archäologischen Befund abweichend), stellt sich die Geschlechts- und Altersstruktur der Bestatteten folgendermaßen dar:

anthropologisch bestimmt bzw. anthrop. und archäol. Bestimmung identisch

	♂ allg.	♂ adult	♂ matur	♂ senil	♀ allg.	♀ adult	♀ matur	♀ senil	Kind
Gkg. 26	2	11	10	2	1	5	5	—	7
Gkg. 11	26	13	20	2	9	10	11	1	22
Gkg. 39	—	5	12	2	3	5	3	—	14
Gkg. 37	2	4	8	1	—	4	2	1	8
Gkg. 8	—	9	5	—	1	1	4	—	3
Kleine, Einzel-kurg., Flachgräber	2	14	12	4	4	5	3	3	15
	32	56	67	11	18	30	28	5	69

nur archäologisch bestimmt

	♂ allg.	♂ adult	♂ matur	♂ senil	♀ allg.	♀ adult	♀ matur	♀ senil	Kind
Gkg. 26	4	—	—	—	1	—	—	—	2
Gkg. 11	20	1	—	—	7	3	—	—	10
Gkg. 39	1	—	—	—	2	—	—	—	3
Gkg. 37	—	—	—	—	1	—	—	—	4
Gkg. 8	1	—	—	—	—	—	—	—	—
Kleine, Einzel-kurg., Flachgräber	7	—	—	—	10	—	—	—	3
	33	1	—	—	21	3	—	—	22

anthropologische von archäologischer Bestimmung abweichend*)

	♂ allg.	♂ adult	♂ matur	♂ senil	♀ allg.	♀ adult	♀ matur	♀ senil	Kind
Gkg. 26	1	—	—	1	—	—	—	—	—
Gkg. 11	—	—	1	—	2	4	2	—	—
Gkg. 39	1	—	—	—	1	—	1	—	—
Gkg. 37	—	2	—	—	—	1	—	—	—
Gkg. 8	—	1	1	—	—	—	—	—	—
Kleine, Einzel- kurg., Flachgräber	—	1	1	—	—	2	—	—	—
	2	4	3	1	3	7	3	—	—

*) Bei Nichtübereinstimmung der anthropologischen mit der archäologischen Bestimmung wird nur der anthropologische Befund angeführt.

Für die Beurteilung der Verteilung der Geschlechter und Altersstufen im Gräberfeldareal können nur die gesicherten Angaben für 316 Individuen herangezogen werden, alles andere hat lediglich statistischen Wert. Aufgeschlüsselt ergibt sich folgende Geschlechts- und Altersstruktur:

♂ allgemein	32		10,1 %	
adult	56		17,7 %	
matur	67		21,2 %	
senil	11	166	3,5 %	52,5 %
♀ allgemein	18		5,7 %	
adult	30		9,5 %	
matur	28		8,9 %	
senil	5	81	1,6 %	25,7 %
Kinder		69		21,8 %
		316		100,0 %

Bei diesen Zahlen, die gewiß repräsentativ sind, fällt die Unverhältnismäßigkeit des über 50 % betragenden Anteils männlicher Bestattungen zu etwa 25 % Frauenbestattungen auf. Die Erklärung des Phänomens, wonach in allen Altersstufen auf eine Frauen- zwei Männerbestattungen kommen, bleibt offen. Es kann nicht mit einer eventuellen Beisetzung von Frauen in den vorwiegend noch nicht untersuchten Klein- und Einzelkurganen außerhalb der Großkurgane erklärt werden, da auch bei diesen, soweit untersucht, ein analoges Verhältnis besteht. Nachdem bekanntlich etwa gleich viel Kinder männlichen und weiblichen Geschlechts geboren werden, sich also beide Geschlechter das Gleichgewicht halten, ist es denkbar, daß man Kinder weiblichen Geschlechtes, weil der Familie unerwünscht, tötete. Kindesmord, besonders an Kindern weiblichen Geschlechtes, war bei vielen rezenten Naturvölkern durchaus üblich,[1] vornehmlich dort, wo extreme Lebensbedingungen Notlagen schufen.[2] Nach dem Sterbealter zu schließen, war die Lebenserwartung erwachsener Männer und Frauen ungefähr dieselbe, da sich alle drei Altersstufen beider Geschlechter anteilmäßig ungefähr gleichen.

Mit 21,8 % der Bestatteten deutet sich eine hohe Kindersterblichkeit in den frühen Lebensabschnitten an. Tatsächlich dürfte der Anteil der im Kindesalter verstorbenen jedoch noch weit höher gewesen sein, da Kinder nachweislich überproportional oft flach begraben wurden und viele Kindergräber dadurch in höherem Maße der Vernichtung anheim gefallen sind. Daß man Kinder im zarten Säuglingsalter, wenn überhaupt, wenig sorgfältig beisetzte, ergibt sich daraus, daß von 56 Kinderbestattungen, bei denen Altersbestimmungen vorgenommen wurden, nur zwei im Alter bis zu einem Jahr bekannt sind, was bei der hohen Sterblichkeit gerade in dieser Altersstufe sicher nicht den tatsächlichen Gegebenheiten entspricht. Das Alter der im Gräberfeld beigesetzten Kinder ist

bis 1 Jahr	2 Bestattungen[3]
1—2 Jahre	8 Bestattungen
2—4 Jahre	17 Bestattungen
5—6 Jahre	7 Bestattungen
7—8 Jahre	6 Bestattungen
8—10 Jahre	6 Bestattungen
10—15 Jahre	6 Bestattungen
über 15 Jahre	4 Bestattungen
	56 Bestattungen

---

[1] K. Birket-Smith, Geschichte der Kultur (1946) 265 ff.
[2] ders., a.a.O. 332.
[3] Gkg. 11 Gr. CXXX sechs Monate. — Kg. 100 Gr. I sechs Monate bis ein Jahr.

Bei Mehrfachbestattungen von Kindern[4] wird es sich wohl um Geschwister handeln, die Opfer von Krankheiten, möglicherweise Epidemien, waren.

Es besteht ein offensichtlicher Zusammenhang zwischen der Tiefe des Grabschachtes und der sozialen Stellung der Beigesetzten, die sich aus der Geschlechtszugehörigkeit ergibt. Instruktiv sind in dieser Hinsicht die Beobachtungen im Großkurgan 11. Von den dem Geschlecht nach gesicherten 12 Bestattungen in Tiefen unter 0,70 m entfallen 8 auf Kinder, die restlichen 4 auf Frauen. Hingegen enthielten die 28 Gräber mit 1,50—2,00 m Tiefe 21 Männer-, 6 Frauen- und nur 1 Kinderbestattung. Bei extrem tief angelegten Gräbern desselben Kurgans (2 m Tiefe oder mehr) kommen Kinderbestattungen überhaupt nicht mehr vor. Hier überwiegen Männer- vor Frauenbestattungen im Verhältnis 12:4. Auch bei den übrigen Bestattungen außerhalb des Großkurgans 11 ist die Lage ähnlich: Gräber mit Tiefen unter 0,70 m waren zehnmal für Kinder und je dreimal für Frauen und Männer bestimmt, wogegen Gräber über 2 m Tiefe 21 Skelette männlicher und nur 3 Skelette weiblicher Geschlechtszuordnung enthielten.

Aufschlußreich ist die Interpretation der dreizehn Gräber, die Goldgegenstände enthielten:

Grab	Geschlecht und Alter	Tiefe d. Grabschachtes	Gold. Ohrringe	Gold. Halsringe bzw. -Gehänge	Gold. Beschlag	Gold. Anhänger	mit Blattgold überzogene zoomorphe Figuren	Blattgold
Gkg. 26 Gr. XXXVIII Best. 1	♂ senil	2,10	•				•	
Gkg. 26 Gr. XXXVIII Best. 2	♀ adult + Kind	2,10	•					
Gkg. 39 Gr. XXXIII	♂ matur	3,30	•					
Gkg. 37 Gr. XXIX	♂ matur	3,00	•	•	•		•	•
Kg. 32 Gr. V	♀ Alter?	2,20	•					
Gkg. 11 Gr. III	♂ matur	2,56		•			•	
Gkg. 11 Gr. XL Best. 3	♂ Alter?	2,48		•				
Gkg. 11 Gr. XLVI	♂ matur	2,49		•				
Gkg. 26 Gr. XLI	♂ Alter?	2,75		•				
Gkg. 11 Gr. LVII	♂ matur	1,81					•	
Kg. 7 Gr. IV	♂ matur	2,30					•	
Kg. 28	♂ matur	2,40					•	
Gkg. 26 Gr. VIII	♂ adult	2,30				•		

[4] Gkg. 37 Gr. XXII: 2 1/2—3, 4—5, 9—10 Jahre. Kg. 145 Gr. I: 2—2 1/2, Gr. III: 3—3 1/2, Gr. IV: 3—3 1/2 Jahre, mit Erwachsenem. Kg. 140 Gr. I: 11—12, Gr. II: 18—19 Jahre. Kg. 100 Gr. I: 6 Monate — 1 Jahr, Gr. II: 1—1 1/2 Jahre.

Die Ausstattung mit Gegenständen aus Gold ist sicherlich ein Merkmal gehobenen Standes. Dabei ist kennzeichnend, daß von den 13 Gräbern 7 auf Männer maturen und je eines auf Männer adulten und senilen Alters entfallen, was einen überproportional hohen Anteil von Besitz an Goldgegenständen bei Männern im fortgeschrittenen Alter bezeugt. Weitere zwei sind Männergräber ohne Altersangabe. Lediglich zwei dieser 13 Gräber sind Frauenbestattungen. Beim Körperschmuck (Ohr- und Halsringe) geht es wohl um persönlichen Besitz, der zu Lebzeiten erworben und getragen wurde, was darauf hindeutet, daß sich ein größerer Wohlstand und das daraus resultierende gesellschaftliche Ansehen erst mit zunehmendem Alter einstellte. Das Wenige an wertvoller persönlicher Habe wurde offensichtlich dem Verstorbenen ins Grab gelegt und nicht vererbt, zum Unterschied von den Viehbeständen, die als Gemeineigentum der Großfamilie oder Sippe ohnedies nicht zum persönlichen Besitz gehören und demnach auch nicht vererbbar sind.

Bereits bei den Erörterungen über den Zusammenhang der Tiefe des Grabschachtes und des sozialen Status' der Bestatteten wurde auf die herausragende Stellung des männlichen Teiles der Bevölkerung hingewiesen. Beobachtungen an Gräbern mit Goldbeigabe bestätigen diesen Sachverhalt in zweierlei Hinsicht: die reiche Ausstattung gehört überwiegend Männern, und ihre Gräber sind extrem tief angelegt. Charakteristischerweise wurden alle fünf goldenen Halsringe bzw. Halsgehänge bei Männerbestattungen, von den drei bronzenen zwei bei weiblichen Skeletten gefunden.

Hand in Hand mit der Tiefe des Grabes als Ausdruck sozial gehobener Stellung geht neben der Ausstattung mit kostspieligen Beigaben oft eine sorgfältigere Ausführung des Grabschachtes.

Die Verteilung der Gräber nach Alter und Geschlecht zeigt eine gleichmäßige Struktur innerhalb der Großkurgane. Daß in den Großkurganen 26, 39, 37 und 8 Bestattungen von Adulten meist am Rand liegen, dürfte eher auf Zufall beruhen, ebenso wie der hohe Anteil von Kinderbestattungen im Großkurgan 39 nicht überbewertet werden sollte. Doch treten beim Vergleich der Großkurgane untereinander und innerhalb des Großkurgans 11 Einzelerscheinungen zutage, die es erlauben, von individuellen Zügen der Großkurgane zu sprechen. Diese Eigenheiten betreffen sowohl die Beisetzung selbst als auch die Deponierung der Wegzehrung tierischer Herkunft sowie das Bestreuen mit Hirse. Es springt ins Auge, daß sich innerhalb des Großkurgans 11, dem mit 141 Gräbern und 182 Bestattungen größten im šurmakzeitlichen Gräberfeld, eine deutliche Zweiteilung abzeichnet. Im nördlichen Teil, auf etwa zwei Drittel seiner Fläche, kommt zusätzlich zum sonst in Kokėl' geübten Brauch, einen Schafhinterfuß bei den

Beinen des Bestatteten zu hinterlegen, noch die Deponierung eines Hinterfußes oder anderer Teile des Schafes beim Kopfende, die Beigabe anderer Schafknochen als nur des Hinterfußes in der Normallage sowie gelegentlich die Hinterlegung von Knochen anderer Tiere (Pferd, Ziege) vor (Abb. 61, 62). Von diesen abweichenden Phänomenen ist im Südteil nur ein Fall bekannt, und zwar die Hinterlegung des Schaffußes beim Kopfende. Auch bei den Holzfiguren zeigt sich eine Zweiteilung: im Norden sind sie anthropomorph gestaltet, wogegen zoomorphe Figuren, ein Pferd darstellend, ausschließlich auf den Süden dieses Großkurgans beschränkt sind (Abb. 60). Dies alles deutet darauf hin, daß die Belegung des Großkurgans von zwei unterschiedlichen Gruppen vorgenommen wurde, und sie kann nur vom Hintergrund der sozialen Gruppierung der in Kokėl' Bestatteten her erklärt werden. Zweifellos haben wir es mit Leuten zu tun, deren Wirtschaft auf Schafzucht beruhte und deren umweltbedingte Wirtschafts- und Lebensform von Hirtennomadismus geprägt war. Die soziale Stellung des Einzelnen, deren Wertmesser die Größe seiner Herde darstellte, wird eher durch die Geschlechtszugehörigkeit als durch andere Faktoren determiniert; nicht zufällig kommen Gegenstände aus Gold vorwiegend erst im maturen Alter vor, und hier wiederum bei Männern. Bei der patriarchisch ausgerichteten Organisiertheit der Hirtennomaden bildet die Sippe als Zusammenschluß von Großfamilien die übergreifende Gesellschaftsform. Die nomadische Lebensart bringt zwar zu Lebzeiten eine weitgehende Trennung der einzelnen Sippenmitglieder mit sich, doch geht dabei das Bewußtsein der tatsächlichen oder vermeintlichen gemeinsamen Abkunft und das Gefühl der Zusammengehörigkeit nicht verloren. Diese Überlegungen legen es nahe, die im Großkurgan 11 geschilderten Phänomene so zu interpretieren, daß es sich hier um die Beisetzungsplätze zweier Sippen handelt, die gleich anderen in den übrigen Großkurganen Bestatteten auf dem Plateau von Kokėl' eine zentrale Beisetzungsstätte unterhielten. Dafür spricht auch die Beobachtung, daß die Grablegung Verstorbener gelegentlich lange Zeit nach dem Eintritt des Todes erfolgte, wie z.B. in Großkurgan 26, Grab XIX. Die Annahme, es handle sich bei den Großkurganen um Sippennekropolen (bei Großkurgan 11 um deren zwei),[5] kann durch zusätzliche Beobachtungen zu Einzelheiten des Bestattungsrituals erhärtet werden:

— Hirse wird in den Großkurganen 11 und 26 vorwiegend unterhalb, in den Großkurganen 37 und 39 ausschließlich über Hüfthöhe gefunden;

---

[5] Dafür sprechen vor allem auch die anthropomorphen und zoomorphen Figuren, die auf Ahnenkult, möglicherweise aber auch auf totemistische Vorstellungen schließen lassen.

— Pfeilspitzen kommen in Großkurgan 11 überwiegend unterhalb der Hüfthöhe, in Großkurgan 26 in etwa gleich vielen Fällen darüber und darunter vor;

— Bestattete sind in Großkurgan 39 überproportional häufig mit Steinen umgeben;

— im Großkurgan 8 mit 28 Bestattungen in 25 Gräbern werden zwanzigmal Beerdigungen in Holzkonstruktionen beschrieben, dreimal „auf vermodertem Holz", keine indes auf Zweigen, Brettern oder unmittelbar auf der Erde. Die Anzahl von „Vorratskammern" in fünf Gräbern ist überproportional hoch;

— in Großkurgan 37 sind von 33 gut beschriebenen Gräbern nur vier ohne Steinlage im Grabschacht, in Großkurgan 8 vier der 23 beschriebenen Gräber, während in anderen Großkurganen der Anteil solcher Gräber viel höher ist.

Diese Spezifika der einzelnen Großkurgane zeugen von ihrer voneinander unabhängigen Entwicklung. Und schließlich: welche anderen Gründe als das Zugehörigkeitsgefühl zur Gruppe (Sippe) könnte die Angehörigen der Verstorbenen bewogen haben, die Beisetzungen nicht auf nur einem gemeinsamen Bestattungsplatz vorzunehmen?

Aufschlußreich ist in Kokėl' das Eingehen auf die Struktur der Bewaffnung. Da die Waffen den persönlichen Besitz des Bestatteten darstellen, lassen sich aus der Anzahl und der Art der beigegebenen Bewaffnung Schlüsse sowohl auf den Rang des Bestatteten als auch über die Kampftechnik ableiten. Alle Waffengattungen mit Ausnahme der Pfeilspitzen — die oft auch in Kindergräbern, selbst ·frühesten Alters, gelegentlich in Frauengräbern vorkommen[6] — wurden ausschließlich in Gräbern von Männern adulten bis senilen Alters gefunden. Pfeilspitzen kommen häufig ohne dazugehörige Bögen oder Köcherteile vor; so wurden diese in keinem der Kindergräber gefunden, die Pfeilspitzen enthielten. Auch in vielen der Männerbestattungen mit Pfeilspitzen fehlen Bögen oder Köcherteile.

Von den Bögen, die aus 64 Gräbern, darunter einem Kenotaph stammen, kommen bei den dem Alter nach bestimmten Skeletten 14 aus Gräbern adulter, 9 maturer und 2 seniler Zuordnung. Angesichts des Übergewichts der im maturen Alter Bestatteten (21,2 %) zu adulten Männern (17,7 %) würde dies ganz ein-

---

[6] Vgl. dazu Abschnitt Beigabenausstattung Anm. 3. — Außerdem kommt noch ein hölzernes Schwertmodell in Gkg. 26 Gr. XLV Best.2 vor, das nach dem Fund einer Holzschachtel mit Zubehör sicherlich ein Frauengrab ist, und ein Bogen im Frauengrab Gkg. 26 Gr. X.

deutig auf eine bevorzugte Ausrüstung junger Männer mit Bögen hinweisen, bestände nicht die hohe Dunkelziffer jener Fälle, in denen das Alter der Bogenträger nicht festgestellt wurde.

Eiserne Pfeilspitzen,[7] deren Zahl im Expeditionsbericht meist nicht angegeben ist, kommen in Fällen, für die Angaben vorliegen, von einem bis zu 19 Exemplaren vor. Auf das Alter bezogen verhält sich die Anzahl der Pfeilspitzen wie folgt:

Zahl der beigegebenen Pfeilspitzen	1	2	3	4	5	6	7	8	9	14	19
Kinder	2	2	—	1	—	—	—	—	—	—	—
adult	11	3	5	1	1	1	1	—	1	—	—
matur	5	4	2	2	2	1	1	1	—	—	—
senil	—	—	1	—	—	—	—	—	—	—	—
Alter unbestimmt	10	7	3	4	4	—	2	—	—	1	1

Daraus ergibt sich, daß im allgemeinen die Beigabe von einer bis fünf Pfeilspitzen weitaus häufiger ist als die Beigabe von sechs Stück oder mehr.

Lanzenspitzen, die sich, soweit Altersbestimmungen vorliegen, in Gräbern aller drei Altersstufen finden, belegen, daß eine nach dem Alter differenzierte Kampfweise nicht bestand, kamen sie doch im Verhältnis 2 Bestattungen seniler : 19 Bestattungen maturer : 14 Bestattungen adulter Männer vor, was der anteilmäßigen Zusammensetzung der in Kokėl' beigesetzten Männer entspricht. Aus der Ausstattung der Gräber, in denen sich Lanzenspitzen befinden, läßt sich jedoch insofern eine gewisse gesonderte soziale Stellung ihrer Besitzer ableiten, als in sieben[8] der elf Männergräber mit Goldgegenständen auch Lanzenspitzen vorkommen. Es begegnet auch ein überdurchschnittlich oftmaliger Zusammenfund mit hölzernen Schwert- und Dolchmodellen. Hölzerne Schwertmodelle, die, sofern Altersangaben vorliegen, zwölfmal bei adulten und zehnmal bei maturen Männern gefunden wurden, scheinen ein Kennzeichen gehobener sozialer Stellung zu sein. Fünf[9] der dreizehn Gräber mit Gegenständen aus Gold

---

[7] Sie bilden die überwiegende Mehrzahl der im šurmakzeitlichen Kokėl' gefundenen Exemplare. Bei den beinernen geht es fast ausnahmslos nicht um Grabbeigaben, sondern um die Todesursache der Bestatteten (vgl. Abschnitt Beigabenausstattung). Bronzene wurden in sehr wenigen Exemplaren gefunden.

[8] Gkg. 11 Gr. III. XL Best. 3. XLVI. LVII. — Gkg. 37 Gr. XXIX. — Gkg. 39 Gr. XXXIII. — Kg. 7 Gr. IV.

[9] Gkg. 11 Gr. III. XL Best. 3. XLVI. — Gkg. 26 Gr. XLI. — Kg. 28.

enthalten Schwertmodelle. Dasselbe gilt für hölzerne Dolchmodelle; von elf Gräbern, in denen sie vorkommen, sind zwei [10] mit Goldgegenständen versehen.

Entsprechend der nomadischen Lebensweise, bei der persönlicher Besitz bekanntlich auf das quantitativ Notwendigste und Zweckmäßigste beschränkt wird, [11] weisen die Grabinventare keine ausgeprägten Anzeichen von Wohlstand und damit Abweichungen vom Durchschnitt auf. Die in einigen Gräbern vorgefundenen Luxusgüter Seide und Gegenstände aus Gold können nur im Tausch gegen Schafe oder als Beute in individuellen Besitz gelangt sein. Sie entstammen dem überschüssigen Ertrag der Schafzucht, der über die für die Deckung der Grundbedürfnisse benötigten Mittel hinausging, oder aber kämpferischem Handeln. Dabei ist zu bedenken, daß Schafhirten wegen der durch die langsame Fortbewegung ihrer Herden geringeren Mobilität sicherlich weniger zu Kampfhandlungen oder Raubzügen größeren Ausmaßes neigen als Pferde- oder Rinderhirten. Daß es indes, wie an der Beigabenausstattung der Gräber erkennbar, dennoch zu einer gewissen gesellschaftlichen Differenzierung, zu größerem Wohlstand Einzelner, kommen konnte, dürfte vornehmlich auf wirtschaftlichen Faktoren wie größere Herdenbestände, bessere Weideplätze, persönliche Tüchtigkeit, vorteilhafte Heirat u. ä. beruhen, doch ist auch Raub keineswegs auszuschließen. Einen unmittelbaren Nachweis kämpferischer Auseinandersetzungen mit den nördlichen Nachbarn der Waldzone (Trägern der Taštyk-Kultur) bilden die in den Gräbern von Kokěl' zutage gekommenen beinernen Pfeilspitzen, die dem Material nach der Šurmak-Kultur fremd und aufgrund ihrer Fundlage als Todesursache der Bestatteten anzusehen sind.

Das seltene Vorkommen von Seide (sie wurde nur bei sechs Bestattungen gefunden) in Gräbern, die sich ansonsten weder durch besonders kostspieliges Grabinventar noch durch auffallende Tiefe der Grabschächte von den durchschnittlichen Bestattungen unterscheiden, [12] belegt die Abgeschiedenheit West-Tuvas von auswärtigen zivilisatorischen Einflüssen zur Zeit der Šurmak-Kultur.

Die Herstellung von Leder sowie das Spinnen waren Tätigkeiten, die nur von Frauen ausgeführt wurden. Schaber, mit denen die Innenseite der Felle von Resten der Fleischfasern und Bindegewebe gesäubert wurden, sowie Spinnwirtel bilden Teile der Frauengarnituren. Nachweise für spezifische Männerbeschäftigungen im hauswirtschaftlichen Bereich sind dem Fundstoff nicht zu entnehmen.

---

[10] Gkg. 37 Gr. XXIX. — Kg. 7 Gr. IV.

[11] K. Straube, Hirten und Nomaden, in: B. Frauenfeld (Hrsg.), Völkerkunde (1960) 71.

[12] Nur Kg. 32 Gr. B enthält auch noch Teile einer chinesischen Lackschale und ist 2,20 m tief.

Die Frage der ethnischen Zugehörigkeit der Träger der Šurmak-Kultur bleibt vorerst offen. Obwohl Tuva seit dem Beginn des 2. vorchristlichen Jahrhunderts nominell dem hunnischen Herrschaftsbereich angehörte, sind Grabfunde eindeutig hunnischen Charakters, wie sie in Transbaikalien und aus Noin-Ula in der Mongolei vorkommen, in Tuva fast unbekannt.[13] Auch in anthropologischer Hinsicht unterscheiden sich die Träger der Šurmak-Kultur von den Hunnen.[14] Gegen die Präsenz von Hunnen in Kokėl' spricht weiterhin die Art der Viehwirtschaft, die in Tuva nach den Grabfunden von Schafhaltung, bei den Hunnen hingegen nach Aussage chinesischer Quellen[15] und archäologischen Zeugnissen primär von Pferdezucht bestimmt war.

Das šurmakzeitliche Gräberfeld von Kokėl' vermittelt das Bild einer weitgehend egalitären, in Sippen geordneten Gesellschaft von Hirtennomaden, bei der Differenzierungen nach materiellem Kulturgut wenig in Erscheinung treten. Die Ungleichheit der gesellschaftlichen Stellung wird eher durch die Geschlechtszugehörigkeit bestimmt. Es fehlen Hinweise auf eine nach Rang und Funktion abgestufte Differenzierung der Kämpfer, die sich aus der verschiedenartigen Zusammensetzung der Bewaffnung ergeben, oder Elemente, die es erlauben würden, von einer in sozialer Hinsicht heterogen zusammengesetzten Gemeinschaft zu sprechen.

---

[13] L.R. Kyzlasov, Über Denkmäler der frühen Hunnen (russ.) in: Drevnosti vostočnoj Evropy (= Festschrift A.P. Smirnov); Materialy Moskva-Leningrad 169, 1969, 117.

[14] L.R. Kyzlasov, Drevnjaja Tuva (1979) 81. — Vgl. auch Einleitung.

[15] W. Eberhard, Kultur und Siedlung der Randvölker Chinas, Supplément au vol. 36 zu T'oung Pao (1942) 54.

Wirtschaftliche Verhältnisse

Zeugnisse aus dem wirtschaftlichen Lebensbereich treten in Kokèl' zum Unterschied von jenen des religiösen Lebens, bei dem uns die Hintergründe des Handelns oft verborgen bleiben und nur durch Interpretation erhellt werden können, insofern klar in Erscheinung, als man aus dem Vorkommen von Knochen bestimmter Tiere, aus pflanzlichen Resten, Gerätschaften usw. auf die Wirtschaftsform schließen kann. Die guten Erhaltungsbedingungen ermöglichen Aufschlüsse über die verwendeten Werkstoffe und gestatten weitere Einblicke in die Lebensweise. Gefundene Gerätschaften bezeugen die Produktionsmöglichkeiten und geben Hinweise auf die Arbeitsteilung nach Geschlechtern, gehen aber nicht so weit, daß sie z.B. auf eine Spezialisierung auf einzelne metallverarbeitende handwerkliche Tätigkeiten als Folge ihrer Abspaltung vom einfachen Schmieden ausreichen würden. Dazu fehlen Nachweise von Schmiedewerkzeugen oder andere Zeugnisse.

Die Grundlage der Wirtschaft bildete zweifellos die Schafzucht. Durch sie konnten die drei menschlichen Grundbedürfnisse nach Nahrung (Fleisch, Milch), Kleidung (Leder, Wolle) und Wohnung (Wolle als Rohstoff von Filz, der zum Bau der Behausung benötigt wurde) weitgehend befriedigt werden. Holz stand als Werkstoff reichlich zur Verfügung; an Metallerzen, vor allem Eisen, mangelte es in West-Tuva gleichfalls nicht. Der über den Eigenbedarf hinaus erzielte Überschuß aus der Schafzucht diente dem Tausch gegen lebensnotwendige Güter wie Getreide, möglicherweise auch dem Erwerb hochwertiger Metallerzeugnisse oder von Luxusgütern wie Seide. Die nomadische Lebensführung und die Abgeschiedenheit des Lebensraumes führten zu weitgehender Selbstversorgung, die wiederum nicht oder nicht weit über die eigenen Bedürfnisse hinausging. Ackerbau ist in Kokèl' durch Gerätschaften nicht belegt. Funde von Hirse und Hanf müssen nicht bedeuten, daß sie aus eigenem Anbau stammen. Sie dürften weitgehend durch Tausch oder eine Art temporärer Symbiose mit ackerbautreibenden Nachbarn erworben worden sein. Darüber vermögen unsere Quellen nichts auszusagen.

Außer der Schafzucht sind andere Wirtschaftszweige spärlich belegbar, dürften auch tatsächlich eine untergeordnete Rolle gespielt haben. Knochen von

Maral, Wildziege und Elch (Geweih), die als Gerätschaften[1] oder Wegzehrung in die Gräber gelangten, weisen auf Jagd hin. Wenige Funde von Trensen und Pferdeknochen bezeugen die Pferdehaltung. Belege für Rinderhaltung fehlen in Kokėl' gänzlich.

Von einzelnen wirtschaftlichen Aktivitäten wird durch die Grabfunde Spinnen (Funde von Spinnwirteln, noch an Kleidungsstücken und Anhängern vorhandene Wollfäden) und Lederherstellung (Schaber) nachgewiesen. Die Anfertigung von Kleidung aus Leder, Wolle und Filz[2] gehörte sicherlich zu den Aufgaben der Frauen innerhalb der Großfamilien. Für die Töpferei und die Metallbearbeitung (Schmieden) darf angenommen werden, sie seien von dazu besonders geeigneten Personen innerhalb der Sippe ausgeführt worden. Die Töpferei erforderte wegen der Kompliziertheit des Vorgangs (Formgebung und Verzierung) entsprechende Fertigkeiten Einzelner. Auf einen möglichen Übergang lokaler Fertigung von Keramik für den Eigenbedarf auf handwerkliche Produktion weist die Beobachtung hin, daß kesselförmige als die älteste Keramikform noch stark individuelle Züge aufweist — kaum zwei Gefäße gleichen einander — wogegen sich bei vasen- und topfförmigen Gefäßen Form und Verzierung oft sehr nahe stehen.

Trotz reicher Eisenerzvorkommen in Tuva ist nicht anzunehmen, das Schmelzen sei von den in Kokėl' Bestatteten vorgenommen worden; schon ihre Lebensart stand dem im Wege. Kennzeichnend ist in dieser Hinsicht, daß sich bei der Eisenerz-Lagerstätte von Kara-Sug (Rayon Kaa-Chem) ausschließlich hunnische Funde vorfanden,[3] was beim sonst seltenen Vorkommen hunnischer Zeugnisse in Tuva darauf hinweist, daß der Abbau von Erzen und das Einschmelzen in hunnischer Hand lagen. Das Schmieden des Eisens wurde indes innerhalb der Nomadensippe vorgenommen.[4]

---

[1] Gkg. 11 Gr. C. CIX. — Gkg. 8 Gr. VII.
Maralzahn als Anhänger: Gkg. 26 Gr. I Best. 1.

[2] Für das Weben von Textilien fehlen Nachweise. Wollgewebe wurden in Gkg. 26 Gr. VII. XXIV. XXVIII Best. 2 (auch Wollgürtel). XLII. XLV. — Kg. 25.40. 171 und 65 Gr. I, Filz als Kopfbedeckung in Kg. 65 Gr. IX gefunden.
Leder diente als Körper-, Fuß- und Kopfbedeckung. Aus Leder wurden außerdem noch Riemen und Beutel hergestellt. Eine lederne Quaste als Kopfzier fand man in Gkg. 11 Gr. XXXVIII.

[3] L.R. Kyzlasov, Über Denkmäler der frühen Hunnen (russ.) in: Drevnosti vostočnoj Evropy (= Festschrift A.P. Smirnov), Materialy Moskva-Leningrad 169, 1969, 120f.

[4] K.U.-Kőhalmi, Der Pfeil bei den innerasiatischen Reiternomaden und ihren Nachbarn. Acta Orient. Hung. 6, 1956, 132f. „Die nomadischen Hirten indessen, die bewaffnet in den Krieg zu ziehen und ihre Herde mit Waffen zu beschützen hatten, haben Schaft und Befiederung selbst angefertigt, die Pfeilspitzen aber vom Schmied der Sippe oder des Stammes bezogen."

Holz, in reichem Ausmaß vorhanden,[5] war ein wichtiger Werkstoff und fand vielfach Anwendung sowohl bei der Fertigung von Waffen, Gerät und Gegenständen des täglichen Gebrauchs als auch im Totenbrauchtum. Pappel, Weide und Birke waren die wichtigsten Holzarten, die entsprechend ihrer Eignung für verschiedene Zwecke verarbeitet wurden. Aus Pappelholz erzeugte Balken, Stangen, Latten und Bretter, die oft zu Holzkonstruktionen zusammengefügt wurden und an denen in einigen Fällen noch Spuren von Bearbeitung mit 3—6 cm breiten Stemmeisen wahrgenomen werden können,[6] dienten in der Regel für gröbere Arbeiten, vornehmlich bei Bestattungen in Holzkonstruktionen. Doch wurden manchmal auch Fäßchen,[7] Holzschachteln zur Aufbewahrung von Frauengarnituren[8] und Speisegeräte (Teller, Löffel, Becher, Schalen)[9] aus Pappelholz gefertigt. Für diese Kleingegenstände wurde sonst in der Regel Weiden- oder Birkenholz genutzt. Birkenrinde wurde als Auflage auf Messergriffe, für Behälter in Schachtelfunktion, oft in zylindrischer Form[10] verarbeitet, wozu sie sich ebenso wie für Köcher[11] wegen ihrer Schmiegsamkeit, die durch Aufweichen noch erhöht werden konnte, besonders eignete. Selbst Wurzelholz, dessen Bearbeitung besondere Handfertigkeit erfordert, fand Verwendung für Schalen und Schöpfer.[12] — Statt auf Pappelholzbrettern wurden Verstorbene in einigen Fällen auf Pappel-[13] oder Weidenzweige[14] gebettet.

Die kargen Lebensbedingungen führten zu einer auf das Notwendigste ausgerichteten Wirtschaftsform, der überwiegend die Deckung des Eigenbedarfs oblag. Daß man mit Besitz sparsam umging, beweisen außer der Bescheidenheit der Beigabenausstattung auch andere Befunde, so beispielsweise die Hinterlegung eines bronzenen „skythischen" Kessels mit Flickstellen aus Eisen in Kurgan 7, Grab im Kurganmantel (Abb. 20, H 1) sowie reparierter Gefäße in Großkurgan 26 Gr. I Best. 3 (Abb. 29, G2) und XL (Abb. 36, E 3) (letzteres mit Bast

---

5 „Die Flüsse sind schon von weiten kenntlich am schmalen Saum der Pappeln, der Weiden, Erlen und Kleinsträuche..." (W. Leimbach, Landeskunde von Tuwa. Das Gebiet des Jenissei-Oberlaufes. Ergänzungsheft 222 zu „Petermanns Mitteilungen", 1936, 54).
6 Gkg. 11 Gr. IV B. — Gkg. 7 Gr. IV. — Kg. 124 Gr. II. — Kg. 143.
7 Kg. 7 Gr. IV.
8 Kg. 52. — Kg. 55. — Kg. 56 Best. 2.
9 Kg. 52. — Kg. 53 Best. 1. — Kg. 56 Best. 2.
10 Gkg. 11 Gr. LXXVIII. CXXVIII Best. 2. CXXX. — Gkg. 26 Gr. XXXVI.
11 Gkg. 11 Gr. LXXX. — Kg. 9 Gr. VIII. — Kg. 7 Gr. II. — Kg. 53 Best. 1.
12 Kg. 59. — Kg. 9.
13 Gkg. 39 Gr. XXXIX. — Gkg. 37 Gr. XVIII.
14 Gkg. 11 Gr. LXXV. — Kg. 39 Gr. I. — Kg. 69 Gr. I. — Kg. 170.

ausgebessert). Diese Beispiele sind zugleich ein Nachweis, daß die in den Gräbern gefundenen Gefäße schon zu Lebzeiten von den Verstorbenen benutzt
worden waren.

Kunst

Zur Šurmakzeit ist der Tierstil der Ujuk-Kultur in Tuva bereits restlos verschwunden.[1] Die künstlerische Betätigung ist nunmehr auf dekorative Flächenkunst oder schlichte plastische Kunst (Holzfiguren) reduziert. Ihre Träger sind Hirtennomaden, die entsprechend ihrer nüchternen und rationalen Lebensart keine Kunst um ihrer selbst willen betreiben. Der Impuls zur künstlerischen Betätigung entspricht eher dem Verlangen, leere Flächen auszufüllen (horror vacui), oder dem Glauben an Schutz- und Zauberwirkung als ästhetischem Empfinden. Auch die durch die Wirtschaftsweise bedingte Mobilität ist der Ausführung von Werken, die man als gehobene Kunsterzeugnisse bezeichnen könnte, abträglich. An Werkstoff stand den in Kokėl' Bestatteten in erster Linie Holz zur Verfügung. Auf dieses Material vor allem richtete sich ihr künstlerisches Bemühen, das sich vorwiegend im flächenhaft Dekorativen, weniger im Plastischen äußert. Es findet seinen Ausdruck im Bemalen von Gegenständen aus Holz (rituelle Waffenmodelle, Schachteln, Fäßchen[2] oder Pfeilschäften) in roter oder schwarzer Farbe sowie in Schnitzereien auf hölzernen Waffenmodellen oder Gegenständen aus Bein. Ein anderer Anlaß für künstlerische Betätigung gehört wohl in den Bereich des Kultisch-Religiösen. Er findet seinen Ausdruck im Schnitzen stark schematisierter anthropo- und zoomorpher Figuren, die als Grabbeigaben mit Jenseitsvorstellungen verknüpft sind.

---

[1] K. Jettmar, Die frühen Steppenvölker (1980) 173.
[2] Ein besonderes Beispiel ist das Stück aus Gkg. 11 Gr. XLVI (vgl. Beschreibung in Abschnitt Beigabenausstattung).

Religion

Ein Einblick in die religiöse Vorstellungswelt der in Kokèl' Bestatteten läßt sich nur mittelbar anhand der Bestattungsweise mit der Vielfalt ihrer Erscheinungsformen, teils auch aufgrund der Beigabenausstattung erschließen, ohne daß es die Befunde selbst erlauben, die treibende Kraft des Handelns im einzelnen nachzuvollziehen. Doch selbst die Beschreibung einzelner mit den religiös-magischen Praktiken verbundener Phänomene der Totenbehandlung ist von heuristischem Wert. Nachweisbar sind in Kokèl' kultische Handlungen in der Form ritueller Beigabe von Wegzehrung, Hinweise auf Totenmahl, Feuerspuren im Grabschacht oder Grab, Kenotaphe, Brandbestattungen, abweichende Körperlage (Hockerstellung), partielle Bestattungen (ohne Schädel) u.a. Kultische Handlungen im Verein mit dem Glauben an transzendente Gegebenheiten machen das Wesen der Religion per definitionem aus.[1] Von diesen beiden Komponenten ist naturgemäß nur die erste gegenständlich faßbar. Ihre Erscheinungsformen wurden bereits im Abschnitt „Bestattungsweise" erörtert, und es erübrigt sich, hier nochmals darauf einzugehen.

Das Grab wird von Naturvölkern, und als solche müssen wir uns die in Kokèl' Bestatteten vorstellen, oft als Heim des Toten aufgefaßt. Dies wurzelt in der Vorstellung vom Weiterleben des Toten, den man mit den dafür notwendigen Gütern ausstattet. Sie bestehen aus Geschenken der Hinterbliebenen, dem Eigentum des Verstorbenen und aus Bestandteilen des Sepulkralkultes.[2] Wie archäologische und völkerkundliche Zeugnisse belegen, begnügt man sich dabei oft mit einer Nachbildung als Ersatz; nicht in Betrugsabsicht, sondern in der Überzeugung, der Tote könne sie durch magisches Handeln brauchbar machen. So wird wohl das Vorkommen von Waffen aus Holz und von Miniaturgerätschaften zu deuten sein. Doch wird die Einstellung der Hinterbliebenen gegenüber dem Toten keineswegs nur von Pietät und Fürsorge geprägt, vielmehr spielen auch Angst vor der Rache des Verstorbenen eine Rolle, falls die rituellen Vorschriften nicht eingehalten oder es an einer ausreichenden Versorgung für

---

[1] W. Hirschberg, Wörterbuch der Völkerkunde (1965) 369f. s.v. Religion.
[2] H. Müller-Karpe, Einführung in die Vorgeschichte (1975) 50.
[3] Dazu Abschnitt Bestattungsweise, Anm. 14.

das Jenseits mangeln würde. Wahrscheinlich gehören zu diesem Vorstellungskreis der Totenfurcht auch die in Kokèl' fünfmal beobachtete Beisetzung ohne Schädel[3] und Hinweise auf mögliche Leichenzerstückelung. Auffallenderweise fand man vier der fünf Fälle von Bestattung ohne Kopf außerhalb der Großkurgane, was auf eine Absonderung von den nach Sippen angelegten Großkurganen hinweist.

Die Funktion der Amulette, die in Kokèl' als Nachbildungen „skythischer" Kessel in Miniaturausführung, als Bruchstücke Han-zeitlicher Spiegel oder als anders geartete Gegenstände aus verschiedenem Material vorkommen, muß als apotropäisch im Sinne des Schutzes der Verstorbenen oder der Hinterbliebenen wirkend verstanden werden.[4] Ein möglicher Hinweis auf den gleichfalls in den religiös-magischen Vorstellungskreis fallenden Schamanismus, dessen ausgeprägtes Kennzeichen die Versetzung in Trance ist, ist durch das Vorkommen von Hanfkörnern bei drei Bestattungen gegeben. Allerdings fehlen in den drei Gräbern, die Hanf enthielten, Indizien für eine Benutzung des Hanfes als Rauschmittel; die Körner sind nicht verkohlt, und es fehlt auch Zubehör für seine Verbrennung.

Es läßt sich nicht mit Sicherheit sagen, welche religiöse oder magische Vorstellungen mit der Beigabe anthropomorpher Figuren in neun Gräbern verknüpft waren. Zu denken wäre in erster Linie an Ahnenabbilder oder an eine magisch-apotropäische Funktion dieser Gegenstände.[5] Daß man in ihnen Abbilder von Menschen sah, ist durch den bei menschlichen Skeletten ebenso geübten Brauch der Streuung von Hirsekörnern zwischen den Beinen und eine lederne Hose auf der Holzfigur aus Großkurgan 11 Gr. CXXV (Abb. 46, G) belegt. Zoomorphe Figuren, ausschließlich in Pferdegestalt, sind ein mögliches Indiz für totemistische Vorstellungen, bei denen bekanntlich soziale (Sippen- bzw. Clanzugehörigkeit) und religiöse Aspekte zusammenfallen.

---

[4] K. Birket-Smith, Geschichte der Kultur (1946) 350: „In gewissen Fällen mag die Entscheidung schwer sein, ob die Amulette oder Gegenstände mit magischer Kraft, die man in den Gräbern trifft, als Schutz für den Toten oder aber für die Überlebenden hingelegt sind, in anderen Fällen scheint kein Zweifel möglich."

[5] Zum Vorkommen von Götter- oder Ahnenfiguren aus Filz, Holz und Fell im 16. und 17. Jahrhundert in der Mongolei, die mit schamanistischen Praktiken in Verbindung stehen, vgl. W. Heissig, Die Mongolen (1978) 249f.

Abbildungen

Abgebildet werden alle in der Originalpublikation enthaltenen Gegenstände außer je einem Holzfäßchen (lfd. Nr. 11 und 194), je einem Messer (lfd. Nr. 85 und 153) sowie einem Holzlöffel (lfd. Nr. 307).

Die Abfolge der Abbildungen entspricht in etwa jener in den Listen 1 und 2.

Die bei den Abbildungsunterschriften in Klammern gesetzten Zahlen sind die laufenden Nummern entsprechend Liste 1 und 2.

In den Abbildungsunterschriften wird das Material der Gegenstände nicht angeführt, wenn es sich — wie bei *Keramik* oder *Holzgefäßen* — von selbst bzw. aus Liste 2 ergibt. Das Material wird nur in jenen Fällen gekennzeichnet, wenn es aus Abbildung, Funktion oder Liste nicht erkennbar ist.

Die abgebildeten *Messer, Lanzenspitzen, Pfrieme, Pinzetten* und *Gürtelteile* sind ausnahmslos aus Eisen. *Schnallen* sind ebenso fast ausschließlich aus Eisen; bei den zwei Abweichungen von dieser Regel — es handelt sich um Bronze — wird in der Bildunterschrift darauf verwiesen. Das Material der *Pfeilspitzen*, vornehmlich Eisen, ergibt sich aus Liste 2. Angaben dazu werden nur dann gemacht, wenn ein Grab Pfeilspitzen aus verschiedenem Material enthält oder es sich um bronzene Exemplare handelt. Bei den *Metallgefäßen* wird das Material in jedem Einzelfall angegeben. *Gegenstände aus Gold* werden immer als solche gekennzeichnet.

Die Kartierung der Keramik (Abb. 55) und der Pfeilspitzen (Abb. 57) erfolgt auf je drei gesonderten Blättern (a,b,c).

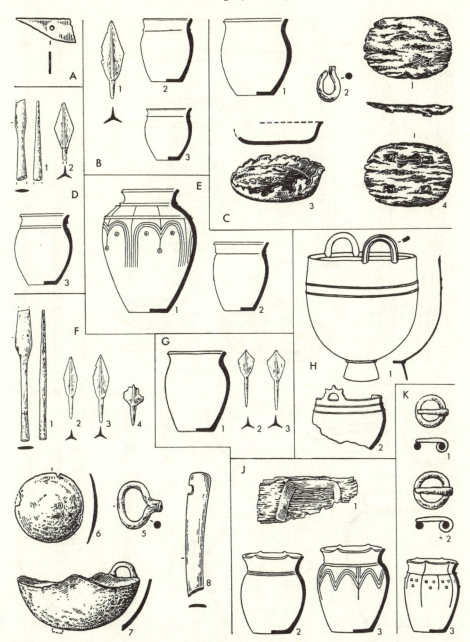

Abb. 20. A: Aus Brandstelle in Aufschüttung des Kurgans 4. — B: Kg 4,Ia (2). — C: Kg 4,II (3). — D: Kg 4,III (4). — E: Kg 4,IV (5). — F: Kg 4,V (6). — G: Kg 7,I (8). — H: Kg 7, Grab im Kurganmantel (7). — J: Kg 7,III (10). — K: Kg 7,VII (14). — F 7 Eisen. — H 1 Bronze. — (Nach S.I. Vajnštejn/V.P. D'jakonova). K 1.2 M. ca. 1:2. — A M. ca. 2:5. — B 1; D 1.2; F 1—4; G 2.3 M. ca. 1:3. — C 2—4; F 5—8; J 1 M. ca. 1:7. — B 2.3; C 1; D 3; E 1.2; G 1; H 2; J 2.3; K 3 M. ca. 1:8. — H 1 M. ca. 1:12.

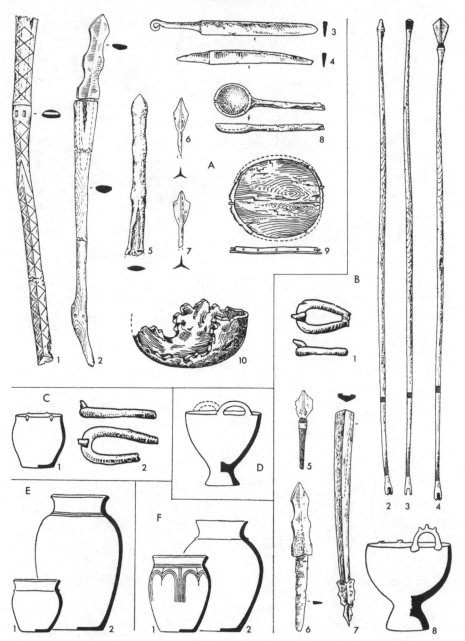

Abb. 21. A: Kg 7,II (9). — B: Kg 7,IV (11). — C: Kg 7,V (12). — D: Kg 7,VI (13). — E: Kg 7,IX (16). — F: Kg 7,VIII (15). — (Nach S.I. Vajnštejn/V.P. D'jakonova). B 1; C 2 M. ca. 1:2. — A 3.4 M. ca. 2:5. — A 5—7; B 5 M. ca. 1:3. — A 1.2.9.10; B 2—4.6.7 M. ca. 1:4. — A 8 M. ca. 1:5. — B 8; C 1; D; E; F M. ca. 1:8.

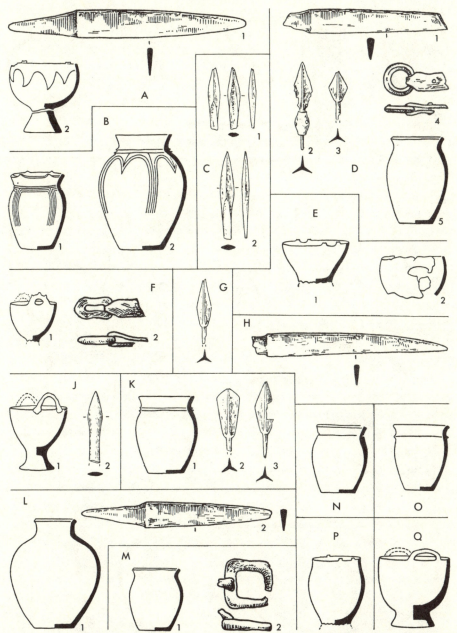

Abb. 22. A: Gkg 8,I (17). — B: Gkg 8,II (18). — C: Gkg 8,III (19). — D: Gkg 8,V (21). — E: Gkg 8,IX (25). — F: Gkg 8,VI (22). — G: Gkg 8,VII (23). — H: Gkg 8,X (26). — J: Gkg 8,XI (27). — K: Gkg 8,XII (28). — L: Gkg 8,XIII (29). — M: Gkg 8,XIV (30). — N: Gkg 8,XV (31). — O: Gkg 8,XVI (32). — P: Gkg 8,XVII (33). — Q: Gkg 8,XVIII (34). — (Nach S.I. Vajnštejn/V.P. D'jakonova). D 4; F 2; M 2 M. ca. 1:2. — A 1; D 1; H 1; L 2 M. ca. 2:5. — C;D 2.3; G; J 2; K 2.3 M. ca. 1:3. — A 2; B; D 5; F 1; E; J 1; K 1; L 1; M 1; N—Q M. ca. 1:8.

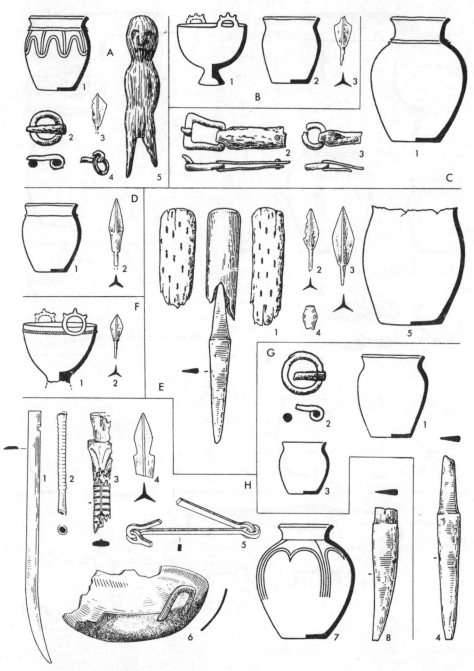

Abb. 23. A: Gkg 8,XIX (35). — B: Gkg 8,XX (36). — C: Gkg 8,XXI (37). — D: Gkg 8,XXII
(38). — E: Gkg 8,XXIII (39). — F: Gkg 8,XXV (41). — G: Gkg 8,XXIV (40). — H: Kg 28
(43). — H 2 Eisen mit Goldfolie umhüllt; 6 Eisen. — (Nach S.I. Vajnštejn/V.P.
D'jakonova). A 2.4; G 2 M. ca. 1:2. — E 1; G 4; H 2.4—6.8 M. ca. 2:5. — A 3; B 3; C 2.3;
D 2; E 2—4; F 2 M. ca. 1:3. — H 1.3 M. ca. 1:4. — A 1; B 1.2; C 1; D 1; E 5; F 1; G 1.3;
H 7 M. ca. 1:8. — A 5 M. unbekannt.

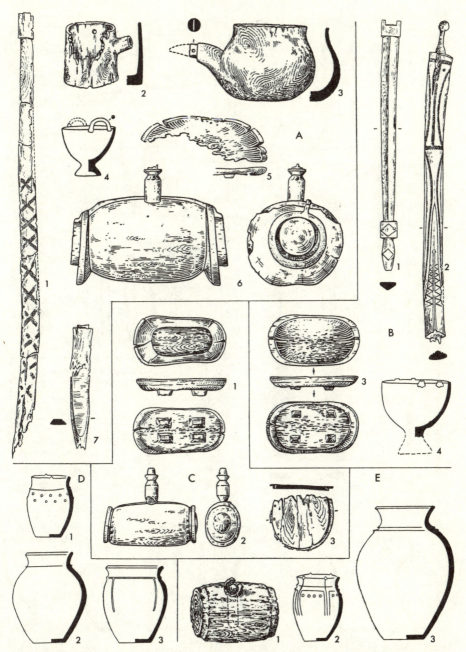

Abb. 24. A: Kg 9 (42). — B: Kg 32,A (44). — C: Kg 33,B (48). — D: Kg 33,A (47). — E: Kg 34,I (50). — (Nach S.I. Vajnštejn/V.P. D'jakonova). A 5 M. ca. 2:5. — A 1—3.6.7; B 1.2; C 2.3; E 1 M. ca. 1:4. — B 3; C 1 M. ca. 1:7. — A 4; B 4; D 1—3; E 2.3 M. ca. 1:8.

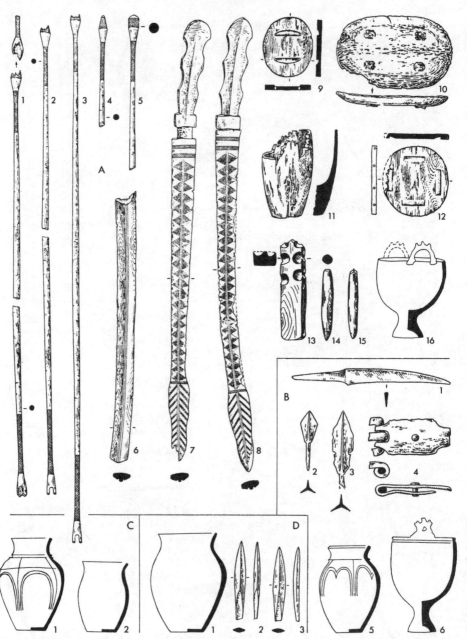

Abb. 25. A: Kg 32,B (45). — B: Kg 34, Best. 1 u. 2 (53.54). — C: Kg 33,V (49). — D: Kg 34,II
(51). — (Nach S.I. Vajnštejn/V.P. D'jakonova). A 13—15; B 1 M. ca. 2:5. — A 1—5.10;
B 2—4; D 2.3 M. ca. 1:3. — A 6—9.11.12 M. ca. 1:4. — A 16; B 5.6; C; D 1 M. ca. 1:8.

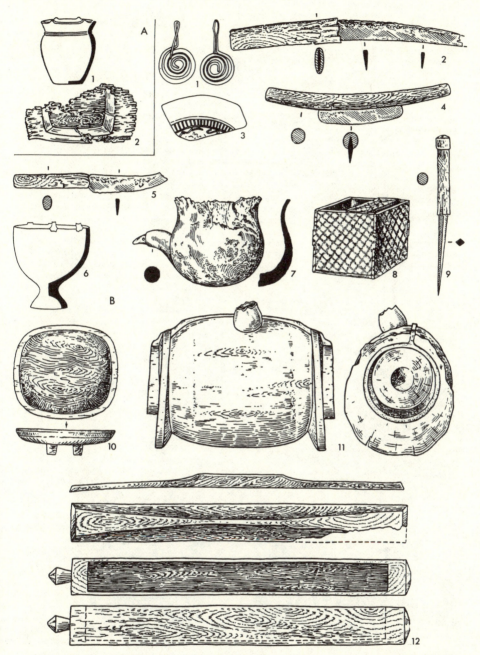

Abb. 26. A: Kg 53, Best. 1 (57). — B: Kg 32,V (46). — B 1 Gold. — (Nach S.I. Vajn-štejn/V.P. D'jakonova). B 3 M. ca. 1:2. — B 2.4.5.9.12 M. ca. 2:5. — B 7.8.10.11 M. ca. 1:4. — A 2 M. ca. 2:13. — A 1; B 6 M. ca. 1:8. — B 1 M. unbekannt.

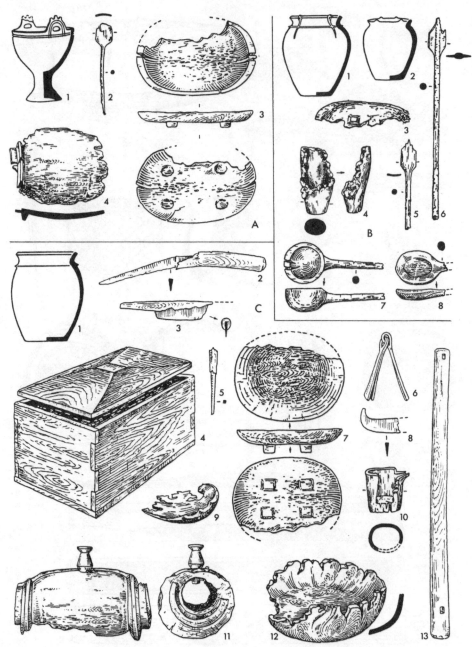

Abb. 27. A: Kg 52 (56). — B: Kg 56 Best. 1 u. 2 (60.61). — C: Kg 55 (59). — (Nach S.I. Vajn-
štejn/V.P. D'jakonova). C 2.3.5.6.8.13 M. ca. 2:5. — A 2.3; B 5.6.8 M. ca. 1:3. — A 4;
B 4.7; C 4.7.9—12 M. ca. 1:4. — B 3 M. ca. 1:7. — A 1; B 1.2; C 1 M. ca. 1:8.

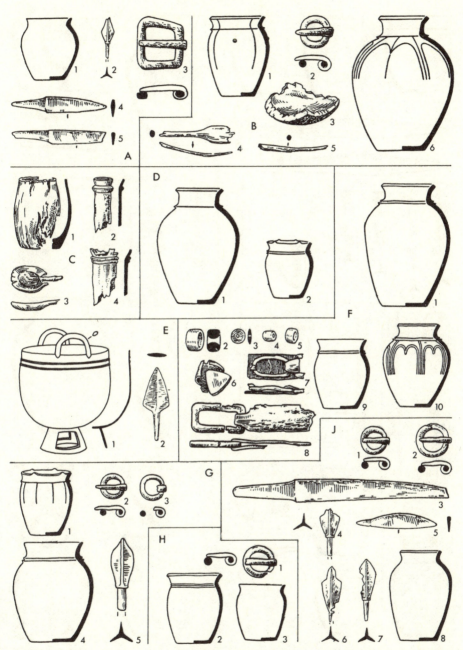

Abb. 28. A: Kg 57 (62). — B: Kg 59 (63). — C: Kg 60 (64). — D: Kg 64 (65). — E: Kg 64,II (66). — F: Kg 65,I (67). — G: Kg 65,V (73). — H: Kg 65,VI (74). — J: Kg 65,III (69). E 1 Bronze. — (Nach S.I. Vajnštejn/V.P. D'jakonova). G 5 M. ca. 1:2. — A 4.5; F 2—6; J 3.5 M. ca. 2:5. — A 2.3; B 2.4; C 2—4; E 2; F 7.8; G 2.3; H 1; J 1.2.4.6.7 M. ca. 1:3. — B 3.5; C 1; E 1 M. ca. 1:4. — A 1; B 1.6; D 1.2; F 1.9.10; G 1.4; H 2.3; J 8 M. ca. 1:8.

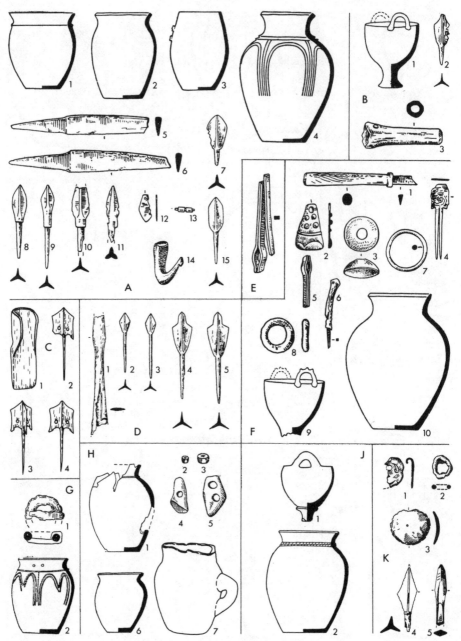

Abb. 29. A: Kg 65,IV, Best. A, B, V (70.71.72). — B: Kg 65,VIII (76). — C: Gkg 26 aus
Aufschüttung. D: Kg 68 (79). — E: Kg 65,VI (75). — F: Kg 65,IX (77). — G: Gkg 26,I
Best. 3 (82). — H: Gkg 26,I Best. 1 (80). — J: Gkg 26,II (83). — K: Gkg 26,I Best. 2 (81). —
H 4.5 Maralzähne. K 4 Eisen; 5 Bein. — (A—F nach S.I. Vajnštejn/V.P. D'jakonova;
G—K nach S.I. Vajnštejn). F 8 M. ca. 1:2. — A 5.6; E; H 2—5 M. ca. 2:5. — A 7—15;
B 2.3; D 1—5; F 1—7; G 1 M. ca. 1:3. — H 1.6; J 2; K 1—5 M. ca. 1:4. — C 1—4 M. ca. 1:7.
— A 1—4; B 1; F 9.10; G 2; J 1 M. ca. 1:8. — H 7 M. unbekannt.

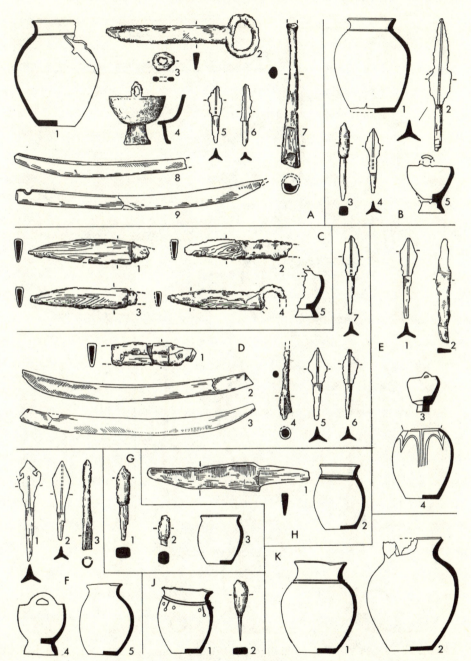

Abb. 30. A: Gkg 26,III Best. 1 (84). — B: Gkg 26,III Best. 4 (87). — C: Gkg 26,III Best. 3 (86). — D: Gkg 26,III Best. 2 (85). — E: Gkg 26,V (89). — F: Gkg 26,IV (88). — G: Gkg 26,XI Best. 1 (96). — H: Gkg 26,VII (92). — J: Gkg 26,VI Best. 2 (91). — K: Gkg 26,VI Best. 1 u. 2 (90.91). — A 4 Eisen. — (Nach S.I. Vajnštejn). H 1; J 2 M. ca. 2:5. — A 2.3.5—9; B 2—4; C 1—4; D 1—7; E 1.2; F 1—3; G 1.2 M. ca. 1:3. — A 1; B 1; E 4; F 5; H 2; K 1.2 M. ca. 2:9. — A 4; B 5; C 5 M. ca. 1:6. — E 3; F 4; G 3; J 1 M. ca. 1:9.

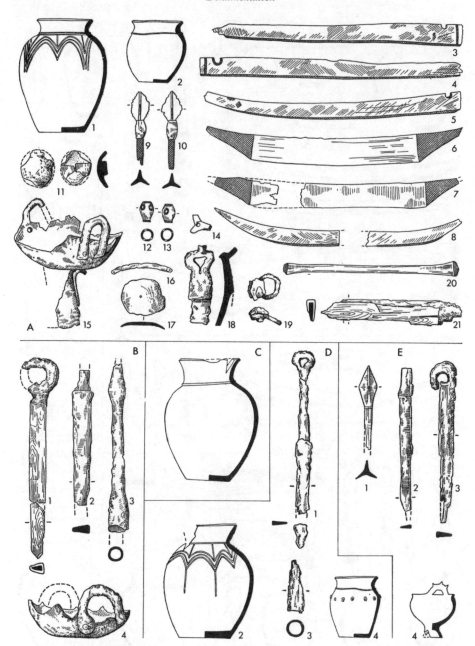

Abb. 31. A: Gkg 26,VIII (93). — B: Gkg 26,VI Best. 1 (90). — C: Gkg 26,XI Best. 1 u. 2 (96.97). — D: Gkg 26,XII (98). — E: Gkg 26,IX (94). — A 14 Bein; 15 Eisen; 16 Gold. — B 4 Eisen. — (Nach S.I. Vajnštejn). B 1—4 M. ca. 2:5. — A 3—21; D 1.3; E 1—3 M. ca. 1:3. — A 1; C; D 2 M. ca. 2:9. — A 2; D 4; E 4 M. ca. 1:9.

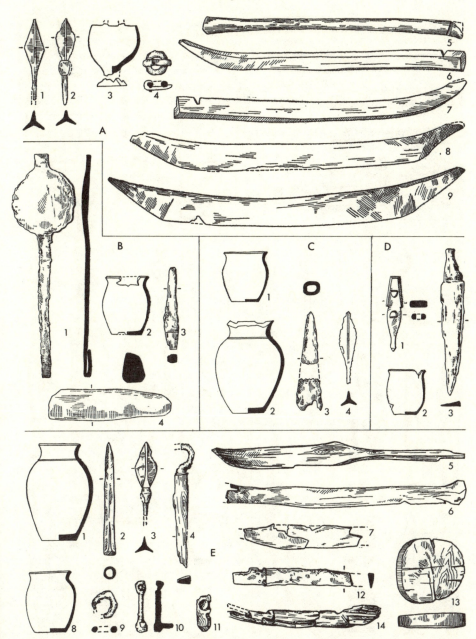

Abb. 32. A: Gkg 26,X (95). — B: Gkg 26,XIX (105). — C: Gkg 26,XVIII (104). — D: Gkg 26,XV Best. 1 (101). — E: Gkg 26,XIII (99). — (Nach S.I. Vajnštejn). A 1.2 4—9; B 1.3.4; C 3.4; D 1.3; E 2—7.9—14 M. ca. 1:3. — C 2; E 1 M. ca. 2:9. — A 3; B 2; C 1; D 2; E 8 M. ca. 1:9.

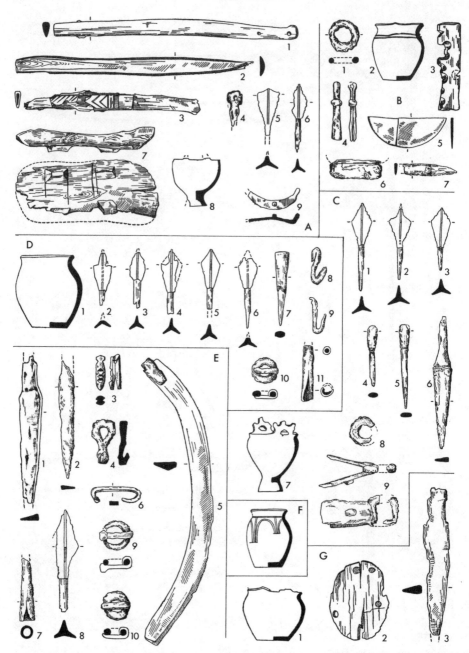

Abb. 33. A: Gkg 26,XIV (100). — B: Gkg 26,XVII (103). — C: Gkg 26,XXI (107). — D: Gkg 26,XX (106). — E: Gkg 26,XV Best. 2 (102). — F: Gkg 26,XXIII (109). — G: Gkg 26,XXIX (115). — (Nach S.I. Vajnštejn). A 1—7.9; G 2.3 M. ca. 2:5. — D 2—11; E 1—10 M. ca. 1:3. — B 1.3—7; C 1—6.8.9 M. ca. 2:7. — A 8; B 2; C 7; D 1; F; G 1 M. ca. 1:9.

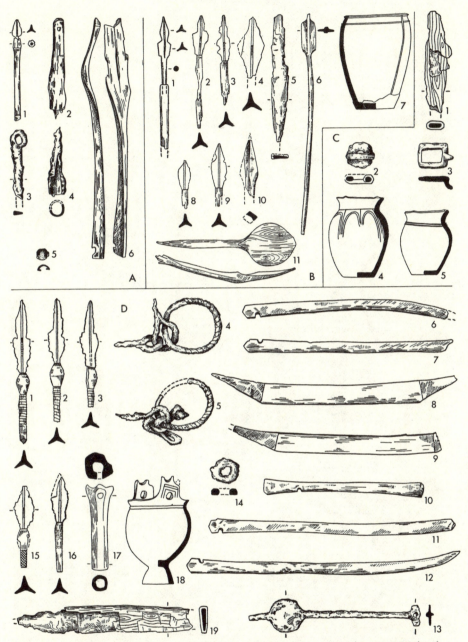

Abb. 34. A: Gkg 26,XXIV (110). — B: Gkg 26,XXV (111). — C: Gkg 26,XXX (116). — D: Gkg 26,XXVI (112). — A 1 Bronze. — B 1.7 Bronze; 2-4.8.9 Eisen; 10 Bein. — C 3 Bronze. — (Nach S.I. Vajnštejn). B 1; C 1—3 M. ca. 2:5. — B 2—6.8—11; D 1—5.14—17.19 M. ca. 1:3. — A 1—6; D 6—13 M. ca. 2:7. — B 7 M. ca. 2:9. — C 4.5; D 18 M. ca. 1:9.

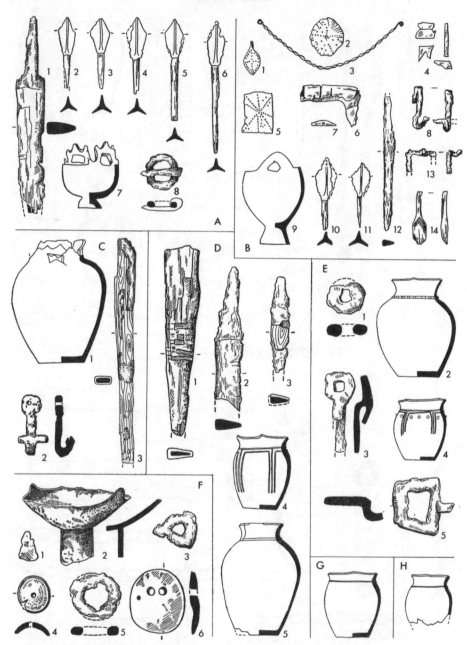

Abb. 35. A: Gkg 26,XXVII (113). — B: Gkg 26,XXXVIII Best. 1 (124). — C:
Gkg 26,XXXI (117). — D: Gkg 26,XXXV (121). — E: Gkg 26,XXXII (118). — F:
Gkg 26,XXXIV (120). — G: Gkg 26,XLIV (131). — H: Gkg 26,XLIII (130). — B 1.2.3.5.7
Gold; 4.6 Goldfolie auf Holz. — F 2 Eisen; 6 Muschel. — (Nach S.I. Vajnštejn). D 1—3;
E 1.3.5; F 1.3—6 M. ca. 2:5. — A 1—6.8; B 1—8.10—14; C 2.3; F 2 M. ca. 1:3. — C 1; D 5;
E 2 M. ca. 2:9. — A 7; B 9; D 4; E 4; G; H M. ca. 1:9.

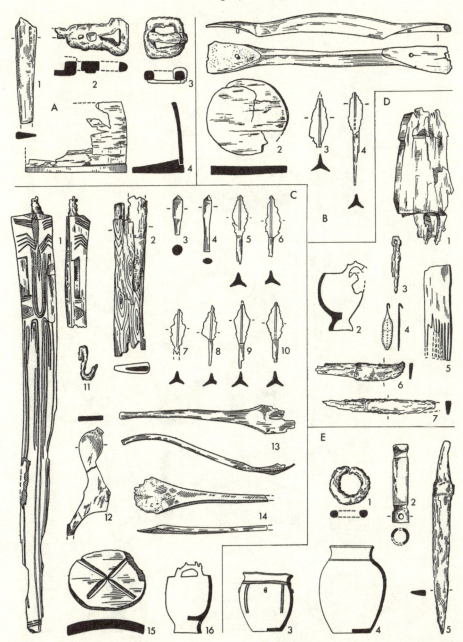

Abb. 36. A: Gkg 26,XXXVI (122). — B: Gkg 26,XXXVII (123). — C: Gkg 26,XXXIX (126). — D: Gkg 26,XXXVIII Best. 2 (125). — E: Gkg 26,XL (127). — D 4 Gold; 5 Bein. — (Nach S.I. Vajnštejn). A 1—4; B 1—4; C 1—15; D 1.3—7; E 1.2.5 M. ca. 1:3. — E 4 M. ca. 2:9. — C 16; D 2; E 3 M. ca. 1:9.

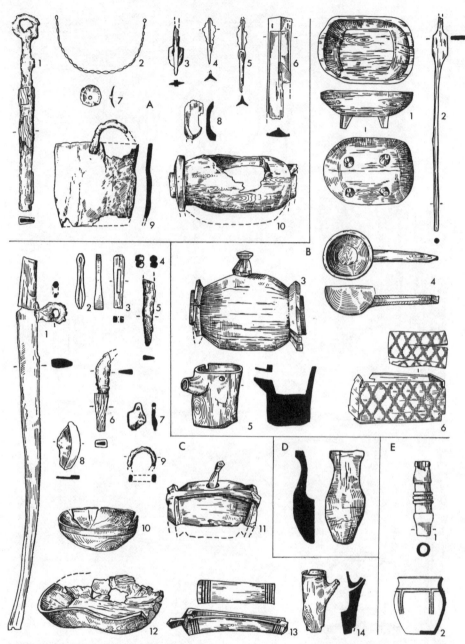

Abb. 37. A: Gkg 26,XLI (128). — B: Gkg 26,XLII (129). — C: Gkg 26,XLV Best. 2 (133). —
D: Kg 25 (136). — E: Gkg 26,XLVI (135). — A 1.9 Eisen; 2.7 Gold. — C 7 Stein. — (Nach
S.I. Vajnštejn). D M. ca. 1:2. — B 2.4.5; C 1—9.14; E 1 M. ca. 1:3. — A 1—9 M. ca. 2:7. —
B 1.3.6; C 10—13 M. ca. 1:6. — A 10 M. ca. 2:15. — E 2 M. ca. 1:9.

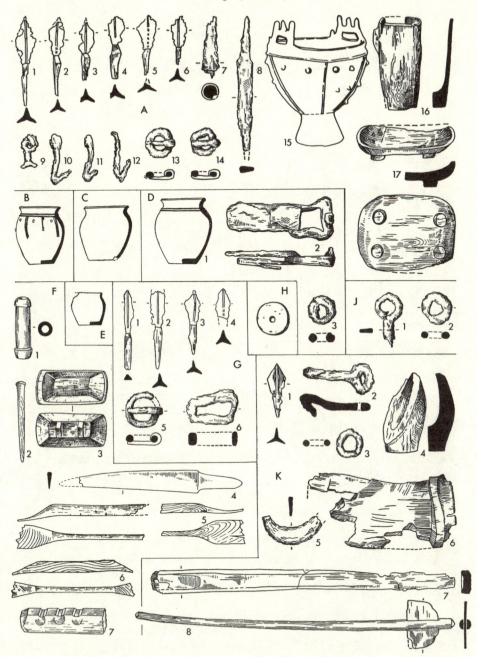

Abb. 38. A: Kg 40 (137). — B: Kg 41 Best. 1 (138). — C: Kg 41 Best. 3 (140). — D: Kg 41 Best. 2 (139). — E: Kg 145,I (146). — F: Gkg 11,II (153). — G: Kg 69,I (141). — H: Kg 124,I (144). — J: Kg 69,II (142). — K: Kg 124,II (145). —H Stein. — (A—E, G—K nach S.I. Vajn-štejn; F nach V.P. D'jakonova). D 2.3; F 2 M. ca. 2:5. — A 1—14.16.17; F 1; G 1—6; J 1.2 M. ca. 1:3. — F 4; H; K 1—8 M. ca. 1:4. — A 15; F 3.5—7 M. ca. 1:7. — B; C; D 1; E M. ca. 1:9.

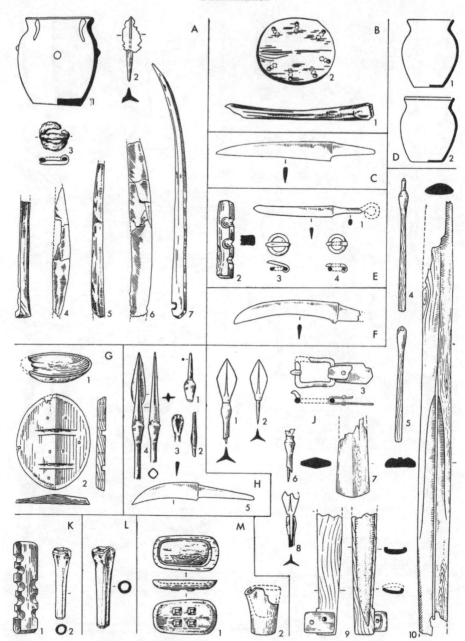

Abb. 39. A: Flachgrab 170 (150). — B: Flachgrab 171 (151). — C: Gkg 11,I (152). — D: Gkg 11,X bei beiden Individuen (162). — E: Gkg 11,III (154). — F: Gkg 11,X bei Kind (162). — G: Gkg 11,VII (159). — H: Gkg 11,XII (164). — J: Gkg 11,XVI (168). — K: Gkg 11,X bei Erwachsenen (162). — L: Gkg 11,XV (167). — M: Gkg 11,VI (158). — H 1-3 Holz; 4 Bronze u. Eisen. (A—B nach S.I. Vajnštejn; C—M nach V.P. D'jakonova). E 2 M. ca. 1:2. — G 2; H 1—4; J 7.9.10; K 1 M. ca. 1:3. — C; E 1.3.4; F; H 5; J 1—6.8 M. ca. 2:7. — A 2—7; B 1.2; K 2; L M. ca. 1:4. — G 1; M 1.2 M. ca. 1:5. — A 1; D 1.2 M. ca. 1:8.

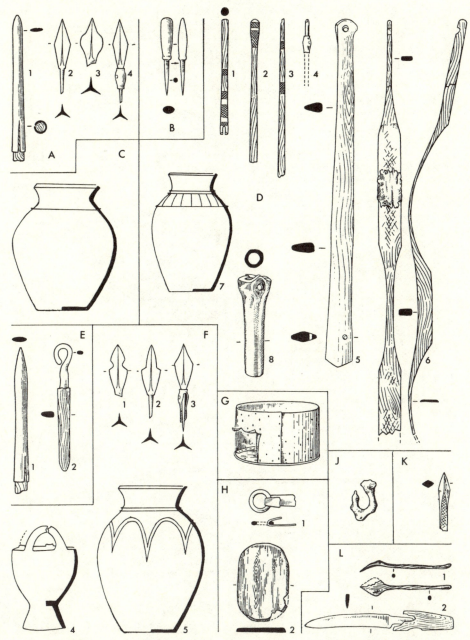

Abb. 40. A: Gkg 11,XIV (166). — B: Gkg 11,XVII (169). — C: Gkg 11,XXII (174). — D: Gkg 11,XX (172). — E: Gkg 11,XXIII (175). — F: Gkg 11,XXXI (183). — G: Gkg 11,XXXV Best. 1 (189). — H: Gkg 11,XXXIV (188). — J: Gkg 11,XXXII (184). — K: Gkg 11,XXXIII Best. B (186). — L: Gkg 11,XXXVII (193). — (Nach V.P. D'jakonova). J M. ca. 1:2. — D 5.8 M. ca. 2:5. — A 1—4; B; D 1—4; E 1.2; F 1—3; H 1; K; L 2 M. ca. 2:7. — G; H 2; L 1 M. ca. 1:5. — C; D 6.7; F 4.5 M. ca. 1:8.

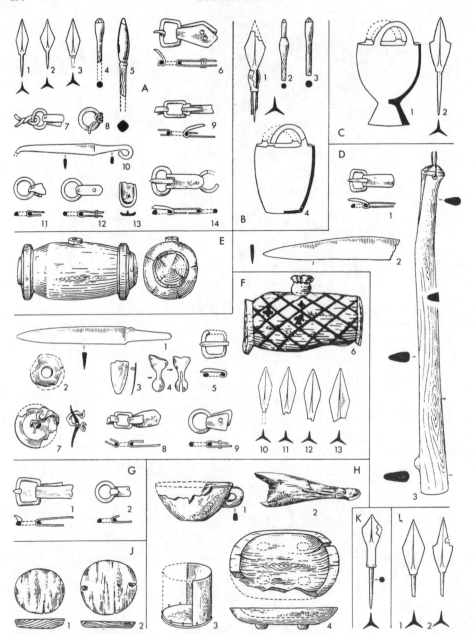

Abb. 41. A: Gkg 11,XXXVIII (194). — B: Gkg 11,XL Best. 1 (197). — C: Gkg 11,XL Best. 2 (198). — D: Gkg 11,XL Best. 3 (199). — E: Gkg 11,XLIV (204). — F: Gkg 11,XLVI (206). — G: Gkg 11,XLVII (207). — H: Gkg 11,L Best. 2 (211). — J: Gkg 11,L Best. 1 (210). — K: Gkg 11,XLVIII (208). — L: Gkg 11,XLIII (203). — A 1-3.5 Eisen; 4 Holz. — B 1 Eisen; 2-3 Holz. — (Nach V.P. D'jakonova). F 2 M. ca. 1:2. — D 3 M. ca. 1:3. — A 1—14; B 1—3; C 2; D 1.2; F 1.3—5.7—13; G 1.2; K; L 1.2 M. ca. 2:7. — H 3; J 1.2 M. ca. 1:4. — E; H 1.2.4 M. ca. 1:5. — B 4; C 1 M. ca. 1:8. — F 6 M. unbekannt.

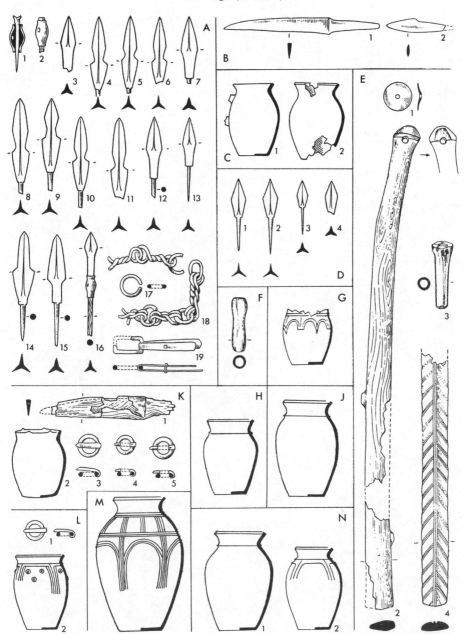

Abb. 42. A: Gkg 11,LII (213). — B: Gkg 11,LV (217). — C: Gkg 11,LVI (218). — D: Gkg 11,LVII (219). — E: Gkg 11,LX (224). — F: Gkg 11,LVIII (220). — G: Gkg 11,LIX Best. 1 (221). — H: Gkg 11,LIX Best. 3 (223). — J: Gkg 11,LXII (226). — K: Gkg 11,LIX Best. 2 (222). — L: Gkg 11,LXIII (227). — M: Gkg 11,LXIV (228). — N: Gkg 11,LXVII Best. 2 (233). — (Nach V. P. D'jakonova). E 2.4 M. ca. 1:3. — A 1—19; B 1.2; D 1—4; E 1.3; F; K 1.3—5; L 1 M. ca. 2:7. — C 1.2; G; H; J; K 2; L 2; M; N 1.2 M. ca. 1:8.

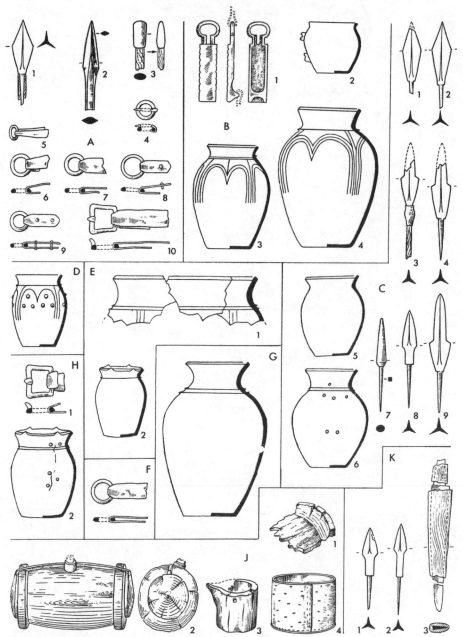

Abb. 43. A: Gkg 11,LXVI Best. 1 (230). — B: Gkg 11,LXVI Best. 2 (231). — C: Gkg 11,LXXIV Best. 2 (242). — D: Gkg 11,LXIX (235). — E: Gkg 11,LXXI Best. 1 (237). — F: Gkg 11,LXXII (239). — G: Gkg 11,LXXIV Best. 1 (241). — H: Gkg 11,LXXI Best. 2 (238). — J: Gkg 11,LXXVIII (246). — K: Gkg 11,LXXVI (244). — A 1.3 Eisen; 2 Bein. — B 1 Bronze. — (Nach V.P. D'jakonova). B 1 M. ca. 2:3. — A 1—10; C 1—4.7—9; F; H 1; K 1—3 M. ca. 2:7. — J 1—4 M. ca. 1:5. — B 2—4; C 5.6; D; E 1.2; G; H 2 M. ca. 1:8.

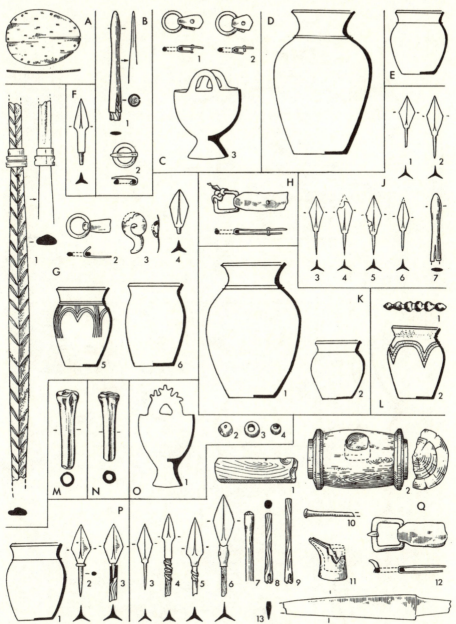

Abb. 44. A: Gkg 11,LXXX (248). — B: Gkg 11,LXXXI Best. 1 (249). — C: Gkg 11,LXXXI Best. 2 (250). — D: Gkg 11,LXXXIII (252). — E: Gkg 11,LXXXVI (255). — F: Gkg 11,LXXXII (251). — G: Gkg 11,LXXXIV (253). — H: Gkg 11,LXXXVII Best. 2 (257). — J: Gkg 11,LXXXVII Best. 1 (256). — K: Gkg 11,LXXXVIII (258). — L: Gkg 11,XC (260). — M: Gkg 11,LXXXIX (259). — N: Gkg 11,XCIV (264). — O: Gkg 11,XCI (261). — P: Gkg 11,CI (271). — Q: Gkg 11,CII Best. 2 (273). — L 1 Bein. — O 2.4 hellblaue Glaspaste; 3 Chalzedon? — P 2.3 Bronze. — Q 3-6 Eisen; 7-9 Holz. — (Nach V.P. D'jakonova). L 1 M. ca. 2:3. — O 2—4; Q 1.10 M. ca. 1:2. — A; G 1 M. ca. 1:3. — B 1.2; C 1.2; F; G 2—4; H; J 1—7; M; N; P 2.3; Q 3—9.12.13 M. ca. 2:7. — Q 2.11 M. ca. 1:5. — C 3; D; E; G 5.6; K 1.2; O 1; P 1 M. ca. 1:8.

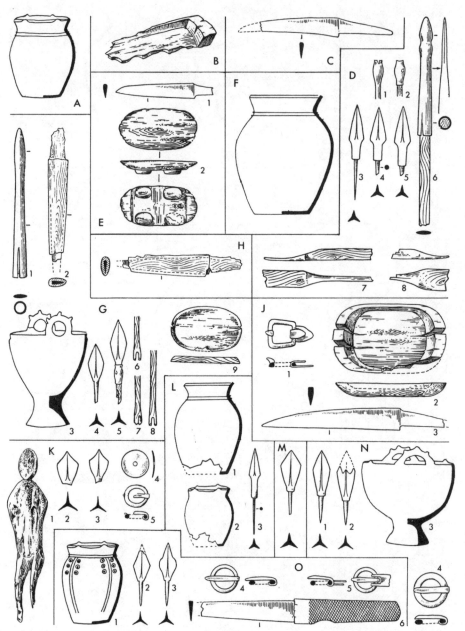

Abb. 45. A: Gkg 11,XCVII (267). — B: Gkg 11,C (270). — C: Gkg 11,CIII (274). — D: Gkg 11,CV Best. 1 (276). — E: Gkg 11,CII Best. 1 (272). — F: Gkg 11,CIV (275). — G: Gkg 11,CVI Best. 2 (279). — H: Gkg 11,CVI Best. 1 (278). — J: Gkg 11,CV Best. 2 (277). — K: Gkg 11,CVI Best. 3 (280). — L: Gkg 11,CVII Best. 3 (284). — M: Gkg 11,CVIII (286). —N: Gkg 11,CIX (287). — O: Gkg 11,CXVI (296). — (Nach V.P. D'jakonova).D 3—6; G 1.9; L 3 M. ca. 1:3. — C; D 1.2; E 1; G 2.4—8; H; J 1.3; K 2—5; M; N 1.2.4; O 2—6 M. ca. 2:7. — K 1 M. ca. 1:4. — B; D 7.8; E 2; J 2 M. ca. 1:5. — A; F; G 3; L 1.2; N 3; L 1 M. ca. 1:8.

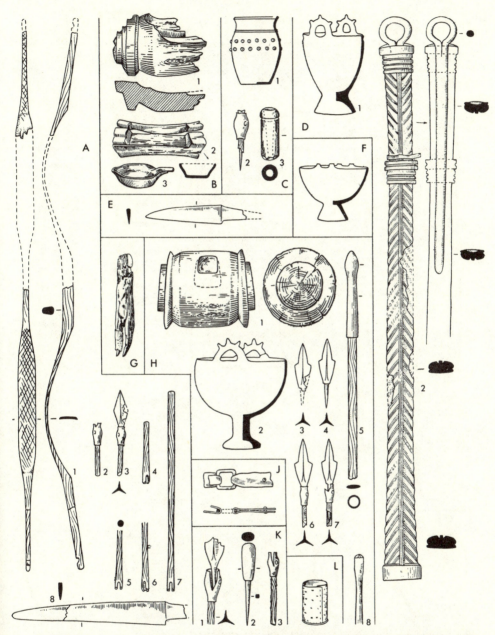

Abb. 46. A: Gkg 11,CXX (300). — B: Gkg 11,CXI (289). — C: Gkg 11,CIV (294). — D: Gkg 11,CVI Best. 4 (281). — E: Gkg 11,CXXI (301). — F: Gkg 11,CXXIII (304). — G: Gkg 11,CXXV (306). — H: Gkg 11,CXXVI (307). — J: Gkg 11,CXXVII (308). — K: Gkg 11,CXXIX (311). — L: Gkg 11,CXXX (312). — K 1 Bronze; 2 Eisen. — (Nach V.P. D'jakonova). C 3 M. ca. 2:5. — A 2—8; C 2; E; H 3—8; J; K 1—3 M. ca. 2:7. — D 2; G M. ca. 1:4. — B 1—3 M. ca. 1:5. — A 1; H 1 M. ca. 1:7. — C 1; D 1; F; H 2; L M. ca. 1:8-.

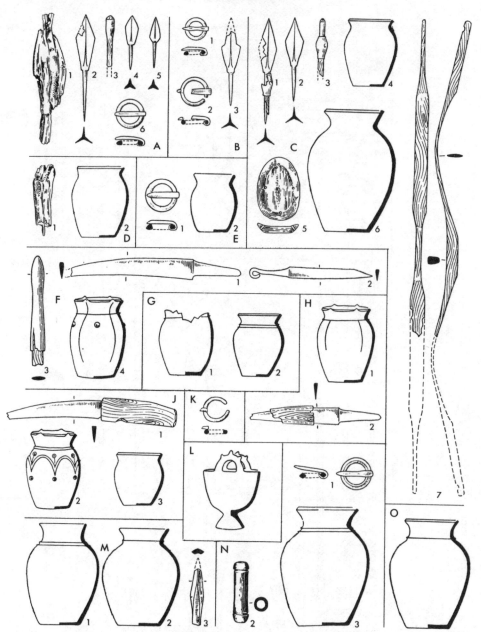

Abb. 47. A: Gkg 11,CXXXI (313). — B: Gkg 11,CXXXVI (317). — C: Gkg 11,CXXXVIII (319). — D: Gkg 11,CXXXIII (314). — E: Gkg 39,I Best. 2 (326). — F: Gkg 11,CXLI Best. 1 (323). — G: Gkg 11,CXXXIX (320). — H: Gkg 11,CXLI Best. 2 (324). — J: Gkg 11,CXL Best. 1 (321). — K: Gkg 11,CXXXV (316). — L: Gkg 39,VII Best. 1 (333). — M: Gkg 39,VI (332). — N: Gkg 39,V (331). — O: Gkg 39,III (329). — A 2.4.5 Eisen; 3 Holz. — C 1.2 Eisen; 3 Holz. — (Nach V.P. D'jakonova). A 2—6; B 1—3; C 1—3; E 1; F 1—3; H 2; J 1; K; M 3; N 1.2 M. ca. 2:7. — A 1; C 5; D 1 M. ca. 1:4. — C 7 M. ca. 1:6. — C 4.6; D 2; E 2; F 4; G 1.2; H 1; J 2.3; L; M 1.2; N 3; O M. ca. 1:8.

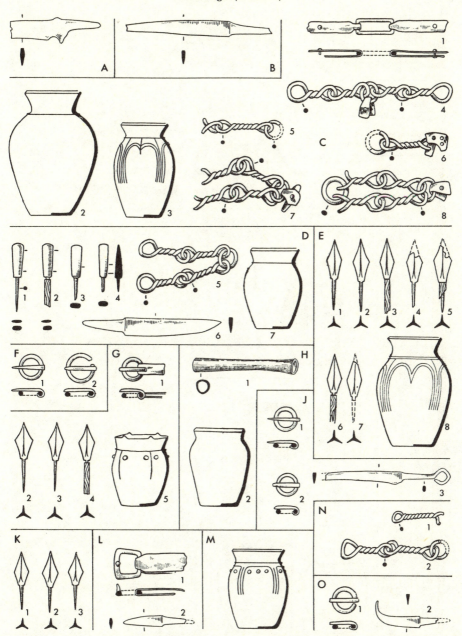

Abb. 48. A: Gkg 39,I Best. 1 (325). — B: Gkg 39,II Best. B (328). — C: Gkg 39,VII Best. 2 (334). — D: Gkg 39,VIII (335). — E: Gkg 39,IX (336). — F: Gkg 39,X (337). — G: Gkg 39,XV (342). — H: Gkg 39,XVII (344). — J: Gkg 39,XX (348). — K: Gkg 39,XIX (347). — L: Gkg 39,XXV (353). — M: Gkg 39,XXVI (354). — N: Gkg 39,XXI (349). — O: Gkg 39,XXIV (352). — (Nach V.P. D'jakonova). D 3.4 M. ca. 1:2. — A; B; C 1.4—8; D 1.2.5.6; E 1—7; F 1.2; G 1—4; H 1; J 1—3; K 1—3; L 1.2; N 1.2; L 1.2; N 1.2; O 1.2 M. ca. 2:7. — C 2.3; D 7; E 8; G 5; H 2; M M. ca. 1:8.

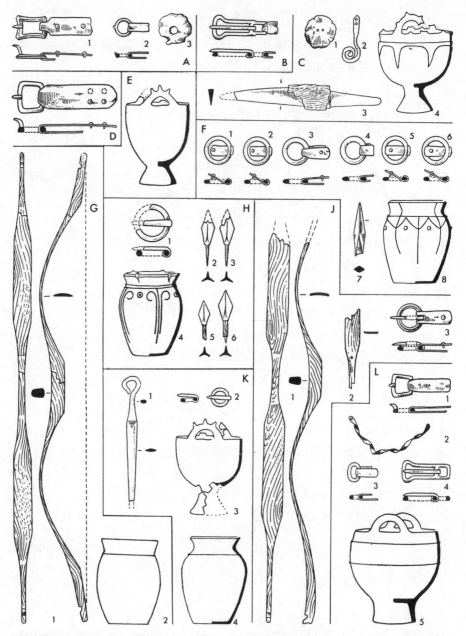

*Abb. 49.*A: Gkg 39,XXVIII (356). — B: Gkg 39,XXIX Best. A (359). — C: Gkg 39,XXXIII (364). — D: Gkg 39,XLIV (376). — E: Gkg 39,XXXVIII Best. A (369). — F: Gkg 39,XXXIV (365). — G: Gkg 39,XXXV (366). — H: Gkg 39,XXXIX (371). — J: Gkg 39,XLI (373). — K: Gkg 39,XL (372). — L: Gkg 39,XLV (377). — C 1.2 Gold. — L 2 Gold. — (Nach V.P. D'jakonova). C 1.2; F 7 M. ca. 1:2. — A 3; L 2 M. ca. 1:3. — A 1.2; B; C 3; D; F 1—6; H 1—3.5.61; J 3; K 1.2; L 1.3.4 M. ca. 2:7. — G 1; J 1.2 M. ca. 1:6. — C 4; E; F 8; G 2; H 4; K 3.4; L 5 M. ca. 1:8.

Abb. 50. A: Gkg 39,XLVI (378). — B: Gkg 37,I (379). — C: In Aufschüttung des Gkg 37. — D: Gkg 37,III (381). — E: Gkg 37,V (383). — F und H: Gkg 37,VII (385). — G: Gkg 37,VIII (386). — J: Gkg 37,VI (384). — K: Gkg 37,IX (387). — L: Gkg 37,XI Best. 2 (390). — M: Gkg 37,XX (401). — N: Gkg 37,XI Best. 1 (389). — O: Gkg 37,XIV (394). — P: Gkg 37,XXII (404). — Q: Gkg 37,XIII (393). — R: Gkg 37,XII (392). — S: Gkg 37, XXVII (411). — T: Gkg 37,XV (395). — U: Gkg 37,XI Best. 3 (391). — V: Gkg 37,XVI Best. 1 (396). — W: Gkg 37,XXI (402). — X: Gkg 37,XXVI Best. 1 (409). — Y: Gkg 37,XXIII Best. B (406). — Z: Gkg 37,XXIII Best. A (405). — A 1 Eisen, 2 Bein. — (Nach V.P. D'jakonova). X 2 M. ca. 1:2. — A 1.2; B; C; D 1—4; E 2; G 1—4; H 2—7; K 1—6; L 1.2; M; N; O; P; Q 1—4; R 1.2; T; U; V; W; X 1; Y 1—4; Z 1 M. ca. 2:7. — F M. ca. 1:4. — E 1; G 5; K 7; J 1.2; S; X 3; Y 5; Z 2 M. ca. 1:8.

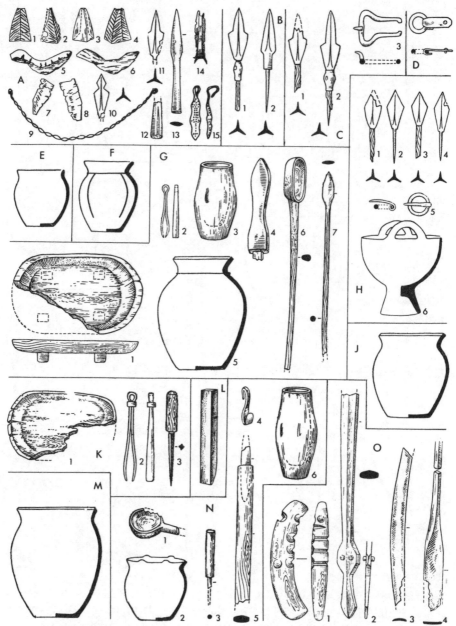

Abb. 51. A: Gkg 37,XXIX (413). — B: Gkg 37,XXXII (416). — C: Gkg 37,XXXI (415). —
D: Gkg 37,XXXIII Best. A (417). — E: Kg 176 (419). — F: Kg 175 A (420). — G: Kg 175 B
(421). — H: Gkg 37,XXXIII Best. B (418). — J: Kg 173 B (424). — K: Kg 173 A (423). — L:
Kg 140,II (431). — M: Kg 177 (427). — N: Kg 174 Best. 2 (429). — O: Kg 133 (432). — A 1-8
Goldfolie auf Holz; 9.15 Gold. — (Nach V.P. D'jakonova). A 5—8.14 M. ca. 1:2. —
A 1—4.9.15 M. ca. 1:3. — A 10—13; B 1.2; C 1—3; D; G 1—4.6.7; H 1—5; K 1—3; L;
N 1.3—6; O 1—4 M. ca. 2:7. — E; F; G 5; J; M; N 2 M. ca. 1:7. — H 6 M. ca. 1:8.

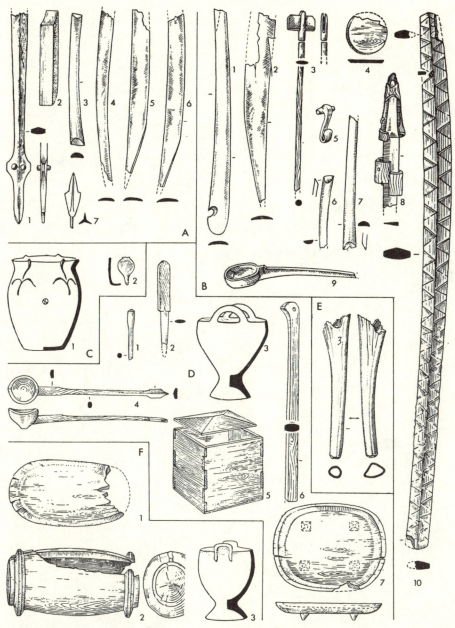

Abb. 52. A: Kg 174 Best. 1 (428). — B: Kg 102 B (426). — C: Kg 99 (435). — D: Kg 143 (440). — E: Kg 100,II (Kiste) (437). — F: Kg 3 (439). — (Nach V.P. D'jakonova). E M. ca. 1:4. — A 1—7; B 1—10; C 2; D 1.2.4—7; F 1.2 M. ca. 2:7. — C 1; D 3; F 3 M. ca. 1:7.

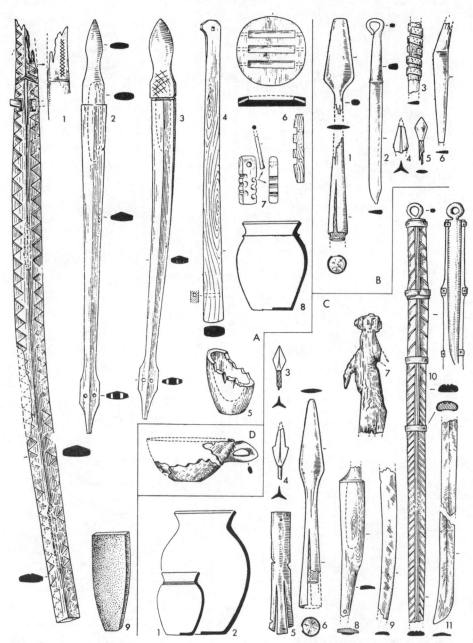

Abb. 53. A: Kg 145 (441). — B: Kg 12,II (444). — C: Kg 12, III (445). — D: Kg 12,IV (446).
— C 5 Bronze. — (Nach V.P. D'jakonova). A 1—7.9; B 1—6; C 3—11; D M. ca. 2:7. — A 8;
C 1.2 M. ca. 1:7.

Liste 1

Grabformen und Bestattungsweise

Die Liste umfaßt sämtliche 475 Bestatteten und die Kenotaphe. Doppel- und Dreifachbestattungen erscheinen unter jeweils einer laufenden Nummer. Die Liste wurde in der Reihenfolge der Veröffentlichung im Expeditionsbericht angelegt.

Sie enthält

Großkurgane

    8 (lfd. Nr. 17—41), 11 (152—324), 26 (80—135), 37 (379—418), 39 (325—378).

Kleinere und Einzelkurgane

    3 (lfd. Nr. 439), 4 (1—6), 7 (7—16), 9 (42), 12 (443—446), 25 (136), 28 (43), 32 (44—46), 33 (47—49), 34 (50—55), 40 (137), 41 (138—140), 52 (56), 53 (57—58), 55 (59), 56 (60—61), 57 (62), 59 (63), 60 (64), 64 (65—66), 65 (67—77), 67 (78), 68 (79), 69 (141—142), 99 (435), 100 (436—437), 102 (425—426), 107 (422), 108 (442), 124 (144—145), 133 (432), 135 (433—434), 140 (430—431), 143 (440), 145 (146—149, 441), 173 (423—424), 174 (428—429), 175 (420—421), 176 (419), 177 (427), 178 (438).

Flachgräber

    76 (lfd. Nr. 143), 170 (150), 171 (151).

Geschlechtsbezeichnung ohne Klammer bedeutet, daß anthropologische Bestimmung vorliegt (Trudy TKAÈÈ 3, 1970, 240ff.) bzw. sie mit der archäologischen übereinstimmt. Geschlechtsbezeichnung in Klammern bedeutet, daß nur archäologische Bestimmung vorliegt oder die in Klammern gesetzte archäologische Bestimmung von der anthropologischen abweicht.

Der Regelfall der Hinterlegung eines Hinterfußes von Schaf bei den Beinen des (der) Bestatteten wird durch das Zeichen ● ausgedrückt. Nur Abweichungen (andere Lage, andere Knochen, Knochen anderer Tiere) werden gesondert angeführt.

Kurgan 4

Lfd. Nr.	Grab Nr.	Geschlecht u. Alter	Ausmaße d. Grabgrube in m	Tiefe d. Grabgrube in m	Ausrichtung der Grabgrube	Ausrichtung d. Bestatt.	Anzahl d. Bestatteten	Tiere	Pflanzen
1	I	♀ adult	1,90×0,70	0,70	SW-NO	SW	1	• und 2 Rippen Schaf bei Beinen	
2	Ia		1,70×0,60	0,80	NW-SO	NW			Hirse u. Hanf
3	II	♀ senil	2,00×1,00 oben 1,90×0,80 unten	0,60	NW-SO	NW	1	1 Schafrippe u. 1 Fettschwanz bei Schädel	
4	III	(♀)	2,00×0,60	1,20	NW-SO	NW	1		
5	IV	♂ matur	2,50×0,70 oben 2,60×0,70 unten	1,20	SW-NO	SW	1		
6	V		2,80×0,90 oben 2,60×0,60 unten	2,60	NW-SO	NW	1		

Kurgan 7

Grab im Kurganmantel

Lfd. Nr.	Grab Nr.	Geschlecht u. Alter	Ausmaße d. Grabgrube in m	Tiefe d. Grabgrube in m	Ausrichtung der Grabgrube	Ausrichtung d. Bestatt.	Anzahl d. Bestatteten	Tiere	Pflanzen
7	I	♂ adult	2,60×0,60	0,90	SW-NO	SW	1		
8	II	♂ senil	2,40×0,80 oben 1,90×0,40 unten	0,80	NW-SO	NW	1		
9					NW-SO	NW	1		
10	III Doppelbestatt.	♂ adult ♂ matur	3,00×1,20	0,90	SW-NO	SW	2	1 Hinterfuß Schaf über Schädel d. Skeletts 1	Hanf
11	IV	♂ matur	3,80×1,20	2,30	NW–SO	NW	1		
12	V	♂ matur	2,80×0,60 oben 2,50×0,50 unten	1,00	NW-SO	NW	1	•	
13	VI	♂ (♀) adult	2,70×0,70	0,37	NO-SW	NO	1	• und Rippen u. 2 Röhrenknochen über Schädel	
14	VII	♀ adult	2,70×0,70	0,70	NW-SO	NW	1	•	
15	VIII Doppelbestatt.	♀ senil Kind, 6—7 J.	3,40×1,80	1,60	SW-NO	SW	2		
16	IX	(♀)			NW-SO	NW	1		

Großkurgan 8

Lfd. Nr.	Grab Nr.	Geschlecht u. Alter	Ausmaße d. Grabgrube in m	Tiefe d. Grabgrube in m	Ausrichtung der Grabgrube	Ausrichtung d. Bestatt.	Anzahl d. Bestatteten	Tiere	Pflanzen
17	I	♂ adult	3,10×1,10	1,00	N-S	N	1	•	Hirse
18	II	♂ adult	2,00×0,70	1,00	NW-SO	NW	1	1 Hinterfuß Schaf vor Gesicht	

Lfd. Nr.	Grab Nr.	Geschlecht u. Alter	Ausmaße d. Grabgrube in m	Tiefe d. Grabgrube in m	Ausrichtung der Grabgrube	Ausrichtung d. Bestatt.	Anzahl d. Bestatteten	Tiere	Pflanzen
19	III	♂ adult	2,30×0,90	1,00	N-S	N	1	● und Schädel v. Schaf zwischen Beinen	
20	IV	♀ adult	2,60×0,80	1,20	NW-SO	NW	1		
21	V	♂ matur	2,90×0,70	2,20—2,50	NW-SO	NW	1	●	
22	VI	♀ matur	2,50×0,80	1,00	NW-SO	NW	1	●	Hirse
23	VII		2,50×0,80 oben 2,10×0,40 unten	1,30	NW-SO	NW	1	●	
24	VIII Doppelbestatt.	♂ adult ♂ (♀) adult?	2,30×1,10	0,90	NW-SO	NW	2	● ●	
25	IX	♂ adult	2,50×0,90	1,50	NW-SO	NW	1	●	
26	X	♂ adult	2,40×0,80	1,90	NW-SO	NW	1		
27	XI	Kenotaph	3,40×0,80	2,10	NW-SO			●	
28	XII	♂ matur	3,50×0,80	1,70	NW-SO	NW	1	●	
29	XIII	♂ matur	3,20×1,10	0,90	SW-NO	NW	1	●	
30	XIV	♂ matur	2,20×0,80	1,00	SW-NO	SW	1	●	
31	XV	♂ adult?	2,30×0,80	1,00—1,10	NW-SO	NW	1	●	
32	XVI	Kind, 2—3 J. (1—2 J.)	2,80×1,20	0,80	SW-NO	SW	1	● ●	
33	XVII	♂ matur	2,60×0,70	1,80	NW-SO	NW	1		
34	XVIII	♂ juvenil (Kind)	2,20×0,60	1,30	NW-SO	NW	1		
35	XIX	(♂)	2,30×0,80	2,30	NW-SO	NW	1	● und Schädel v. Schaf bei Beinen	
36	XX Doppelbestatt.	♂ matur ♀	2,30×0,80	2,00	SW-NO	SW	2	●	
37	XXI	♂	3,20×0,90	1,70	W-O	W	1	●	
38	XXII	♂ matur	2,50×0,60	1,40	NW-SO	NW	1	●	
39	XXIII	♂ matur	1,90×0,70	1,40	NO-SW	NO	1	●	
40	XXIV Dreifachbestatt.	♂ (♀) matur Kind 3—5 J. Kind 8—9 J.	3,30×1,00	1,30	NW-SO	NW NW SO	3	●	Hirse
41	XXV	♂ adult	3,20×0,90	1,90	W-O	W	1	● und Schädel v. Schaf bei Beinen	

Lfd. Nr.	Grab Nr.	Geschlecht u. Alter	Ausmaße d. Grabgrube in m	Tiefe d. Grabgrube in m	Ausrichtung der Grabgrube	Ausrichtung d. Bestatt.	Anzahl d. Bestatteten	Tiere	Pflanzen
Kurgan 9									
42				1,60	N-S	N	1		
Kurgan 28									
43		♂ matur		2,40	NW-SO	NW	1	●	
Kurgan 32									
44	A	♂ adult		2,20	NW-SO	NW	1	●	
45	B	(♂)		2,20	NW-SO	NW	1	und Schafknochen: Schädel bei Beinen, 2 Rippen über Schädel Röhrenknochen bei rechter Schulter	
46	V	(♀)		2,20	NW-SO	NW	1	1 Becken v. Schaf bei linkem Fuß	Hirse
Kurgan 33									
47	A Dreifachbestatt.	♂ adult		1,30	SW-NO	SW	3	● und Fuß v. Schaf bei Schädel d. zweiten Kindes	
		Kind				SW			
		Kind				SW			
48	B			1,50	N-S	N	1		
49	V			1,00	NW-SO	NW	1	Schädel und Röhrenknochen v. Schaf und Pferdeschädel bei linkem Bein	
Kurgan 34									
50	I	(♂)		2,00	NW-SO	NW	1	●	
51	II Doppelbestatt.	(♀)		0,80	SW-NO	SW	2		
52	III	Kind		1,30	NO-SW	SW	1		
		(♂)							

Lfd. Nr.	Grab Nr.	Geschlecht u. Alter	Ausmaße d. Grabgrube in m	Tiefe d. Grabgrube in m	Ausrichtung der Grabgrube	Ausrichtung d. Bestatt.	Anzahl d. Bestatteten	Tiere	Pflanzen
53	IV, Best. 1	♂			SW-NO	SW	1	●	
54	IV, Best. 2	♀			NW-SO	NW	1	●	
55	V				W-O	W	1	●	
Kurgan 52									
56				1,40	NW-SO	NW	1	●	
Kurgan 53									
57	Best. 1	♂		1,50	NW-SO	NW	1	●	
58	Best. 2			1,50	N-S	Brand-bestatt.	1	●	
Kurgan 55									
59		(♀)		1,90–2,00	SW-NO	SW	1	●	Hirse
Kurgan 56									
60	Best. 1	♀		1,10	NW-SO	NW	1	●	
61	Best. 2	♀		1,30	W-O	W	1	● und Schädel v. Schaf bei Beinen, Pferdeschädel bei Füßen	
Kurgan 57									
62		♂ adult			NW-SO	NW	1	●	
Kurgan 59									
63		(♂)		1,80	N-S	N	1	●	

Lfd. Nr.	Grab Nr.	Geschlecht u. Alter	Ausmaße d. Grabgrube in m	Tiefe d. Grabgrube in m	Ausrichtung Grabgrube	Ausrichtung d. Bestatt.	Anzahl d. Bestatteten	Tiere	Pflanzen
Kurgan 60									
64			2,00×1,70	1,70	W-O	W	1	● und Schädel v. Schaf bei Beinen	Hirse
Kurgan 64									
65	I Dreifachbest.	♂ (♀) matur / Kind / Kind		1,80— 1,90	SW-NO	SW / SW	3		
66	II			2,00— 2,20	NW-SO	NW?	1		
Kurgan 65									
67	I	♀ (♂) adult (Kind)		2,30	NW-SO	NW	1	●	Hirse
68	II			1,50	SW-NO	SW	1		
69	III	♂ adult		1,70— 1,80	W-O	W	1		
70	IV Best. A	♂ adult		1,70— 2,00	W-O	W	1	●	
71	IV Best. B	♂ adult		1,70— 2,00	W-O	W	1		
72	IV Best. V	♂ adult		1,70— 2,00	W-O	W	1		
73	V	♂ matur			N-S	N	1		
74	VI	♀ matur		1,70	SW-NO	SW	1		
75	VII	♂ adult		1,70	NW-SO	NW	1	● 1 Knochen von Schaf bei rechter Schulter	
76	VIII	♂ adult		2,80	NW-SO	NW	1	●	
77	IX	♀		1,60	SSO-NNW	SSO	1	●	
Kurgan 67									
78	I	(♂)			NW-SO	NW	1		
78a	II	(Kind)			SO-NW	SO	1		

Lfd. Nr.	Grab Nr.	Geschlecht u. Alter	Ausmaße d. Grabgrube in m	Tiefe d. Grabgrube in m	Ausrichtung der Grabgrube	Ausrichtung d. Bestatt.	Anzahl d. Bestatteten	Tiere	Pflanzen
Kurgan 68									
79		♂ adult		2,20—2,30	NW-SO	NW	1		Hanf
Großkurgan 26									
80	I Best. 1	(Kind)	2,60×1,50 unten	1,20—1,30	W-O	W	1		Körner (Art?)
81	I Best. 2	(♂)	2,60×1,50 unten	1,30	W-O	W	1		
82	I Best. 3	(♀)	2,60×1,50 unten	1,20—1,30	W-O	O	1	●	
83	II	♂ matur	2,60×1,50	1,40—1,70	N-S	N	1	●	
84	III Best. 1	♂ adult	3,30×2,10 oben, 2,80×2,36 unten		NW-SO	NW	1	1 Hinterfuß v. Schaf bei linker Schulter	
85	III Best. 2	♂ adult	3,30×2,10 oben, 2,80×2,36 unten		NW-SO	NW	1	1 Hinterfuß v. Schaf bei linker Schulter	Hirse
86	III Best. 3	♂ adult	3,30×2,10 oben, 2,80×2,36 unten		NW-SO	NW	1	1 Hinterfuß v. Schaf bei linker Schulter	
87	III Best. 4	♂ adult	3,30×2,10 oben, 2,80×2,36 unten		NW-SO	NW	1	1 Hinterfuß v. Schaf bei linker Schulter	
88	IV	♂ matur	3,20×1,60 oben, 2,50×0,85 unten		NNO-SSW	NNO	1	●	
89	V	♂ matur	2,70×0,80 oben	1,30	NW-SO	NW	1	●	
90	VI Best. 1	(♂)	2,80×1,30		SW-NO	SW	1	●	
91	VI Best. 2 Doppelbest.	♀ Kind	2,80×1,30		SW-NO	SW	2	●	
92	VII	♀ adult	2,50×0,80 oben, 2,40×0,65 unten	1,40—1,70	N-S	N	1	●	
93	VIII	♂ adult	2,70×1,10	2,30	NW-SO	NW	1		
94	IX	♀ matur	2,65×1,50	1,50	NW-SO	NW	1		
95	X	♀ matur	2,90×0,90		NO-SW	NO	1		
96	XI Best. 1	♀ matur	2,80×1,50		NW-SO	NW	1	●	
97	XI Best. 2	♀ matur	2,80×1,50		NW-SO	NW	1	●	Hirse

Lfd. Nr.	Grab Nr.	Geschlecht u. Alter	Ausmaße d. Grabgrube in m	Tiefe d. Grabgrube in m	Ausrichtung der Grabgrube	Ausrichtung d. Bestatt.	Anzahl d. Bestatteten	Tiere	Pflanzen
98	XII	♂ matur	3,00×1,00		N-S	N	1	•	
99	XIII	(♂)	2,60×1,20		ONO-WSW	ONO	1	•	
100	XIV		2,10×1,10		NNW-SSO	NNW	1	•	
101	XV Best. 1		2,50×1,90		NW-SO	NW	1	• und 1 Fuß v. Schaf bei Schädel	
102	XV Best. 2		2,50×1,90		NW-SO	NW	1		Hirse
103	XVII	♀ adult	3,10×1,50	1,65	NW-SO	NW	1	•	
104	XVIII	Kind 1–1½ J.	2,70×0,95	1,20	N-S	N	1		
105	XIX	♀ adult	3,60×0,70	1,60—1,90	NW-SO	NW	1	• und Knochen v. Schaf in Gefäß am Fußende	
106	XX	♂ adult	3,00×1,80	1,00	NW-SO	NW	1	• und 1 Pferdeschädel sowie 2 Schafschädel am Fußende des Grabes	
107	XXI	♂ matur	2,70×1,20 unten	etwa 2,00	NW-SO	NW	1	Einige Wirbel v. Schaf beim Schädel	
108	XXII	(Kind)	2,00×0,90		NW-SO	NW	1	•	
109	XXIII	Kind 14–15 J.	2,30×1,30		NW-SO	NW	1	•	
110	XXIV	♂ adult	3,00×1,30		W-O	W	1		Körner (Art?)
111	XXV		3,10×1,60	1,10	N-S	N	1		
112	XXVI	♂ matur	3,30×1,30	2,80	NW-SO	NW	1		
113	XXVII		2,50×1,70	1,50	NW-SO	NW	1		
114	XXVIII	♂ (♀) senil	3,20×1,00	etwa 1,40	NW-SO	NW	1	••	Körner (Art?)
115	XXIX	♂ matur	3,50×1,50		NW-SO	NW	1	1 Knochen v. Schaf in Gefäß bei Schädel	
116	XXX	Kind 7–8 J.	2,30×1,50		NW-SO	NW	1	1 Ziegenschädel bei Füßen	
117	XXXI	♂ matur	3,00×1,80	2,00	NW-SO	NW	1	•	Hirse
118	XXXII	♀ adult		1,70	SW-NO	SW	1	•	
119	XXXIII	♂ matur	2,30×0,65		NW-SO	NW	1	•	
120	XXXIV	♀ matur	2,70×1,80	2,20	NW-SO	NW	1	•	
121	XXXV Doppelbest.	♂ adult oder matur / ♂ adult oder matur	2,70×1,90		SW-NO	SW / NO	2	•	
122	XXXVI	♂ senil	2,70×1,30 oben		W-O	W	1	3 Wirbel von Schafschwanz bei linkem Oberarm	

Lfd. Nr.	Grab Nr.	Geschlecht u. Alter	Ausmaße d. Grabgrube in m	Tiefe d. Grabgrube in m	Ausrichtung der Grabgrube	Ausrichtung d. Bestatt.	Anzahl d. Bestatteten	Tiere	Pflanzen
123	XXXVII	♂ matur	2,80×1,10	2,00	NW-SO	NW	1	●	
124	XXXVIII Best. 1	♂ senil	3,30×1,50	2,10	NW-SO	NW	1	●	
125	XXXVIII Best. 2, Doppelbest.	♀ adult Kind 2—4 J.	3,30×1,50	2,10	NW-SO	NW	2	●	Hirse
126	XXXIX	♂ adult	3,00×1,40	1,30	NW-SO	NW	1	●	
127	XL	♂ adult		0,85	NW-SO	NW	1		
128	XLI	(♂)	3,60×1,10 oben	2,75	NW-SO	NW	1		
129	XLII	♀ matur	2,60×0,80	1,40—1,60	NW-SO	NW	1	● 1 Pferde-, 2 Schaf- und 1 Ziegenschädel am Fußende	
130	XLIII	♂ (♀)	2,60×1,50	1,60	NW-SO	NW	1	●	
131	XLIV	♀ adult	2,70×0,95	1,20	NW-SO	NW	1	●	
132	XLV Best. 1	Kind 2—3 J.	2,60×0,90	0,60	NW-SO	NW	1		
133	XLV Best. 2	♀ matur	2,60×0,90	1,00	NW-SO	NW	1	●	Hirse
134	XLV Best. 3	Kind	2,60×0,90	0,65	NW-SO	NW	1	●	Hirse
135	XLVI	♂ adult	2,70×0,65	1,43	NW-SO	NW	1	●	
Kurgan 25									
136		(Kind)		0,80	N-S	O	1	1 ganzes Schaf im S Teil der Grabgrube	
Kurgan 40									
137				1,66—2,10	NW-SO	NW	1	●	
Kurgan 41									
138	Best. 1	(♀)			NW-SO	NW	1	●	
139	Best. 2	(♀)			NW-SO	NW	1	●	
140	Best. 3	(♀)			N-S	N	1		
Kurgan 69									
141	I			1,32	NW-SO	NW	1	●	
142	II			1,80	NW-SO	NW	1	●?	

Lfd. Nr.	Grab Nr.	Geschlecht u. Alter	Ausmaße d. Grabgrube in m	Tiefe d. Grabgrube in m	Ausrichtung der Grabgrube	Ausrichtung d. Bestatt.	Anzahl d. Bestatteten	Tiere	Pflanzen
Flachgrab 76									
143				1,00–1,22	NW-SO	disloziert	1	●?	
Kurgan 124									
144	I Doppelbest.					disloziert	2		
145	II			2,60–2,90		disloziert	1	● und 6 Rippen und Wirbel von Schaf beim Darmbein rechts	
Kurgan 145									
146	I	Kind 2–2½ J.		0,80	NW-SO	NW	1		
147	II	Erwachsener		1,60	NW-SO	NW	1	● und Schädel von Schaf am Fußende	
148	III	Kind 3–3½ J.		1,00	NW-SO	NW	1		
149	IV	Kind 3–3½ J.			NW-SO	NW	1		
Flachgrab 170									
150	Doppelbest.	(♂) (♀)			NW-SO	NW	2	● und Schädel von Schaf bei Füßen des Mannes	
Flachgrab 171									
151					NW-SO	NW	1		
Großkurgan 11									
152	I Dreifachbest.	♂ ♀ Kind	2,39×1,20 oben 2,46×1,25 unten	1,00	NW-SO	NW NW NW	3	●●	

Lfd. Nr.	Grab Nr.	Geschlecht u. Alter	Ausmaße d. Grabgrube in m	Tiefe d. Grabgrube in m	Ausrichtung der Grabgrube	Ausrichtung d. Bestatt.	Anzahl d. Bestatteten	Tiere	Pflanzen
153	II	♂ matur	2,60×1,00 oben	1,24— / 1,40	NW-SO	NW	1	●	Hirse?
154	III	♂ matur	2,96×0,71	2,56	NW-SO	NW	1	●	
155	IV Best. A	♂ adult	2,68×0,70	0,66— / 0,94	NO-SW	NO	1		
156	IV Best. B	♂ adult	2,45×0,84	1,19	NW-SO	NW	1	●	Körner (Art?)
157	V	♂	2,26×0,98 oben / 2,15×0,76 unten	1,60— / 1,70	W-O	W	1	●●	
158	VI	♀ matur	1,94×0,74	0,93	SW-NO	W	1	●●	Hirse
159	VII	♂ matur	2,02×0,82	1,21—	NO-SW	NNW	1	●●	
160	VIII	♂ matur	2,50×0,90	1,72— / 1,75	W-O	W	1	●	
161	IX	♂ matur	2,86×0,97	1,86	NW-SO	W	1	●●	Hirse
162	X Doppelbest.	♀ / Kind	2,16×1,78	1,07	NW-SO	NW / NW	2	●●	Hirse
163	XI	♂ matur	2,16×0,66 unten	1,96	W-O	W	1	●●	Hirse
164	XII Doppelbest.	♂ / Kind 8—9 J.	2,67×0,80	0,94	NW-SO	NW / W	2	●	
165	XIII	♀ (♂) adult	2,70×0,85	0,98	NW-SO	NW	1	●	
166	XIV	♀ (♂) adult	2,85×0,95	1,50		NW	1	●	
167	XV	♀ (♂) adult	2,80×0,93	1,80		N	1	●	Hirse
168	XVI	♀ (♂) matur	2,80×0,80	2,33		N	1	●	
169	XVII	Kind 7—9 Mte		1,30		W	1	●	
170	XVIII	(2—3 J.)	1,25×0,31 unten	0,51		W	1		
171	XIX	♀ adult	2,16×0,70 unten	1,93		NW	1	●	
172	XX	♂ matur	2,42×0,74	1,53		NW	1	●	
173	XXI	♀ adult	2,73×1,06 oben / 2,59×0,82 unten	1,60		W	1	●	
174	XXII	♀ matur	2,15×0,59	1,48		NW	1	●	Hirse
175	XXIII	♂ matur	2,50×0,55 unten	1,66		SW	1	●	
176	XXIV Doppelbest.	Erw. Indiv. / Erw. Indiv.	2,86×1,87 unten	0,75		SW	2	●	
177	XXV	♂ 16—17 J.		1,58		N	1	● 1 Hinterfuß v. Schaf bei linker Schulter	
178	XXVI	♂ senil	2,40×0,60 unten	1,38		NW	1	●	Hirse

Lfd. Nr.	Grab Nr.	Geschlecht u. Alter	Ausmaße d. Grabgrube in m	Tiefe d. Grabgrube in m	Ausrichtung der Grabgrube	Ausrichtung d. Bestatt.	Anzahl d. Bestatteten	Tiere	Pflanzen
179	XXXVII	♂ senil	2,80×1,00 unten	2,65	NW-SO	NW	1	•	
180	XXXVIII	2½–3 J. (3–4 J.)	1,30×0,47 unten	1,04	SW-NO	SW	1		Hirse
181	XXXIX	Kind 7–8 J. (♂ jung)	2,10×0,64 unten	1,23		NW	1	•	Hirse
182	XXX	♀ matur	2,46×0,72 unten	1,31		NW	1	•	
183	XXXI	♂ matur	2,65×0,70 unten	1,92		NW	1	•	
184	XXXII	Kind 9–10 J. (♂ jung)	2,12×0,80 oben / 1,98×0,70 unten	1,65		NW	1	•	
185	XXXIII Best. A	(♀ adult)	2,47×1,90	0,75	NW-SO	NW	1	•	
186	XXXIII Best. B	(♂)	2,47×1,90	0,84	NW-SO	NW	1	•	
187	XXXIII Best. 2		2,47×0,68	1,34	NW-SO	N	1	•	Hirse
188	XXXIV	♂ matur	2,60×0,70 unten	1,40	N-S	NW	1	•	
189	XXXV Best. 1	♀ matur	2,20×0,70	0,65	NW-SO	NW	1	•	
190	XXXV Best. 2	♀ matur	2,00×0,60	0,48	NW-SO	NW	1	•	Körner (Art?)
191	XXXV Best. 3	Kind 1–1½ J. (2–3 J.)	1,30×0,66	0,70	SW-NO	SW	1	•	
192	XXXVI	Kind 5 J.	1,40×0,55 unten	0,91		W	1	•	Hirse
193	XXXVII	♂ matur	2,40×1,00	1,43		N	1	•	Hirse
194	XXXVIII	(Kind)	3,10×0,85 unten	1,95		NW	1	•	
195	XXXIX Best. 1		2,70×1,55			disloziert	1		
196	XXXIX Best. 2	♀ adult	2,75×0,70	1,90	NW-SO	NW	1	•	
197	XL Best. 1	♂	2,73×2,20	2,05	W-O	W	1	•	
198	XL Best. 2	♂	2,73×2,20	2,05	W-O	W	1	•	
199	XL Best. 3		2,63×0,91	2,48	W-O	W	1	•	
200	XLI	♀ adult	2,70×1,20	1,61	W-O	W	1	• und 2 Wirbel von Schaf am Kopfende	Hirse
201	XLII Best. 1	♀ adult	1,60×0,50	0,63		NW	1		
202	XLII Best.2	Kind 2–2½ J.	1,30×0,55	0,58— / 0,63	SW-NO	disloziert	1		
203	XLIII	♀ (♂) matur		1,07		NW	1	mehrere Schafknochen am Kopfende	
204	XLIV	♀ adult	2,28×0,74 unten	1,48		N	1	•	
205	XLV	♂ (♀) matur	2,30×0,75	0,92— / 0,95	W-O	W	1	Fragment v. 5 Lämmerschädeln und 1 Pferdekiefer bei Beinen	

Lfd. Nr.	Grab Nr.	Geschlecht u. Alter	Ausmaße d. Grabgrube in m	Tiefe d. Grabgrube in m	Ausrichtung der Grabgrube	Ausrich- tung d. Bestatt.	Anzahl d. Be- statteten	Tiere	Pflanzen
206	XLVI	♂ matur	2,67×0,87 oben 2,77×0,70 unten	2,49	NW-SO	W	1	●	
207	XLVII	♂ adult	2,15×0,70 unten	1,43— 1,47		SW	1		
208	XLVIII	♂ matur	2,20×0,75 unten	1,05— 1,14		W	1		
209	XLIX	♂	2,80×0,80 unten	0,97— 1,00	NW-SO	dislo- ziert	1	●	
210	L Best. 1	(♂)	3,10×1,60 unten	1,76— 1,78	NW-SO	NW	1	●	
211	L Best. 2		3,10×1,60 unten	1,76— 1,78	NW-SO	Brand- bestatt. Skelett fehlt	1		
212	LI		2,12×0,70 unten	1,60				1 Hinterfuß v. Schaf auf Holzbrett	
213	LII		2,35×1,20 unten	1,70— 1,71			1	● und Schwanz, Rippen, Schulterblätter, Beine einer Wildziege in SW Ecke	
214	LIII	♂	2,60×0,60 unten	1,73		NO	1	● und 2 Schafschädel bei Fußsohlen	
215	LIV Best. 1	(♂)	2,75×1,40 unten	1,59		NO	1	●	
216	LIV Best. 2	(♂)	2,75×1,40 unten	1,59		NO	1	●	
217	LV	Kenotaph	1,94×0,95 unten	0,84	NW-SO		1	Schafbeine. Wo?	
218	LVI	♀	1,23×0,72 unten	0,90— 0,93	W-O	W	1	●	
219	LVII	♂	2,85×0,80 unten	1,81	NW-SO	SO	1	● und 1 Schafrippe am Kopfende	
220	LVIII	Kenotaph (♀ jung)	2,40×0,90	0,83	SW-NO		1	●	
221	LIX Best. 1	(Kind 6—7 J.)	2,10×1,10	0,56	SW-NO	SW	1	●	
222	LIX Best. 2	(♂)	1,00×0,82 unten	1,01	SW-NO	W	1	● ?	Hirse
223	LIX Best. 3	♂ adult	2,60×1,10 unten	1,68	SW-NO	SW	1	●	
224	LX		3,35×1,05 unten	2,10— 2,20		SW	1	●	
225	LXI	♂	3,05×0,85 unten	1,30		SW	1	●	
226	LXII			0,20		SW	1	●	
227	LXIII	(Kind 1—2 J.)	2,30×0,65 unten	1,44		SW	1	●	

Lfd. Nr.	Grab Nr.	Geschlecht u. Alter	Ausmaße d. Grabgrube in m	Tiefe d. Grabgrube in m	Ausrichtung der Grabgrube	Ausrichtung d. Bestatt.	Anzahl d. Bestatteten	Tiere	Pflanzen
228	LXIV	♀	2,00×0,50 unten	0,52— 0,55		SW	1		
229	LXV	♀ (♂)	2,27×0,56 unten	1,27		SW	1	1 Hinterfuß v. Schaf bei Schädel	Hirse
230	LXVI Best. 1	♂	3,08×1,77 unten		SW-NO	W	1	●	
231	LXVI Best. 2	♂	3,08×1,77 unten	1,88	SW-NO	W	1	1 Hinterfuß v. Schaf am Kopfende	Hirse
232	LXVII Best. 1	♀	2,10×0,55 unten	1,00		NW	1	●	
233	LXVII Best. 2	♀	2,57×0,57 unten	1,18		W	1	●	
234	LXVIII	Kind 2—3 J.	1,50×0,55 unten	0,62		SW	1	●	
235	LXIX		2,10×0,72 unten	1,41		NW	1	●	
236	LXX	(♀?)	1,90×0,55 unten	0,57		W	1	1 Fußknöchel v. Schaf bei linkem Schulterblatt	
237	LXXI Best. 1	Kind 1½—2 J.	1,35×0,85	1,09	NW-SO	NW	1	1 Hinterfuß v. Schaf bei Schädel	
238	LXXI Best. 2	♀ matur	2,65×0,60	1,52	NW-SO	NW	1	●	
239	LXXII	♂ adult	2,15×0,80	0,96		N	1	●	
240	LXXIII		2,45×0,70	1,76			1	●	
241	LXXIV Best. 1		2,80×1,65	2,04		NW	1	1 Hinterfuß v. Schaf bei Schädel	Hirse
242	LXXIV Best. 2		2,80×1,65			NO	1	●	
243	LXXV		1,90×0,70 unten	1,53			1	●	
244	LXXVI	♂ adult	2,75×0,98 unten	1,64	W-O	NW	1	●	
245	LXXVII	♀ adult?	2,40×0,70 unten	1,50		W	1	und 3 Schafschädel bei Beinen	
246	LXXVIII	♀ senil	3,00×1,00 unten	2,08	NW-SO	N	1	●	
247	LXXIX		3,45×0,95	1,08		SW	1		
248	LXXX	(♂)	2,70×0,73 unten	1,85		NW	1		
249	LXXXI Best. 1	♂ matur		2,08		SW	1		
250	LXXXI Best. 2	♀ 15—16 J.	2,20×0,70 unten			SW	1		
251	LXXXII	(♂) juvenil	2,35×0,65 unten	1,11		W	1	●	
252	LXXXIII		2,50×0,65 unten	1,46	W-O	W	1	●	
253	LXXXIV	♂ matur		1,44		NW	1	●	
254	LXXXV Doppelbest.	♀ Kind	2,90×0,55 unten	1,15		W W	2	● und 4 Schafschädel über Doppelbestattung, 1 Schafschädel am Fußende	Hirse

Lfd. Nr.	Grab Nr.	Geschlecht u. Alter	Ausmaße d. Grabgrube in m	Tiefe d. Grabgrube in m	Ausrichtung der Grabgrube	Ausrichtung d. Bestatt.	Anzahl d. Bestatteten	Tiere	Pflanzen
255	LXXXVI	♀ (♂)	2,70×0,75 unten	1,30		SW	1	1 Kreuz von Schaf bei Schädel ●	
256	LXXXVII Best. 1	♂			NW-SO	NW	1	●	
257	LXXXVII Best. 2	♂		2,13	NW-SO	NW	1	●	
258	LXXXVIII	(♂)	2,64×0,60 unten	1,31	SW-NO	SW	1	●	
259	LXXXIX	♂	2,90×0,78 unten	1,78		SW	1	●	
260	XC		2,40×0,55 unten	0,96	SW-NO	N	1	●	Hirse
261	XCI	(♂)	2,10×0,60 unten	0,95		SW	1	●	
262	XCII		2,80×0,80 unten	1,64	SW-NO	NW	1	● und Schafrippen bei Schädel	
263	XCIII	Kind 12 J.	1,90×1,25 unten	1,27		SW	1	●	
264	XCIV Doppelbest.	♂ (10—20 J.)	2,30×1,10 unten	1,87	SW-NO	SW, SW	2	● ●	
265	XCV	(Kind)	0,70×0,60		NW-SO	NW	1		
266	XCVI	♂ matur	2,52×0,75 unten	1,94		WNW	1	●	
267	XCVII	(♂)	2,40×0,55 unten	1,13		NW	1	●	
268	XCVIII	♂	2,40×0,95 unten	1,38		WNW	1		
269	XCIX	Kind 3—4 J.	2,18×0,60 unten	0,91		SW	1	●	
270	C Doppelbest.	♀, Kind	3,45×1,32 unten	1,60		W	2	● ●	
271	CI	(♂)		1,70	NW-SO	NW	1	●	
272	CII Best. 1	♂	2,49×0,42 unten	2,22	NW-SO	NW	1	●	
273	CII Best. 2	(♂)		2,22	NW-SO	NW	1	●	
274	CIII	♀ (♂) adult	2,58×0,78	1,01	NO-SW	WNW	1	● und 2 Schafrippen bei Schädel	Hirse
275	CIV	♂ matur	2,80×1,60 unten	1,66		NNO	1	●	
276	CV Best. 1	(♂)		1,90	NO-SW	NO	1	1 Hinterfuß v. Schaf am Kopfende	
277	CV Best. 2	(♂)		1,90	NO-SW	NO	1	1 Hinterfuß v. Schaf am Kopfende	
278	CVI Best. 1	♀		2,38	WNW-OSO	WNW	1	●	
279	CVI Best. 2	♂		2,38	WNW-OSO	WNW	1		
280	CVI Best. 3	♂		2,38	WNW-OSO	WNW	1	●	
281	CVI Best. 4	♂		2,38	WNW-OSO	WNW	1		
282	CVII Best. 1	(Kind)		0,70		○	1	●	
283	CVII Best. 2	(Kind)		0,70		○	1	●	

Lfd. Nr.	Grab Nr.	Geschlecht u. Alter	Ausmaße d. Grabgrube in m	Tiefe d. Grabgrube in m	Ausrichtung der Grabgrube	Ausrichtung d. Bestatt.	Anzahl d. Bestatteten	Tiere	Pflanzen
284	CVII Best. 3	(Kind)		0,70		NW	1		
285	CVII Best. 4	(Jugendl.)		0,70		NW	1		
286	CVIII	♂	2,65×0,85 unten	1,44		NW	1	•	Hirse
287	CIX	♂	2,70×0,83 unten	1,52	NW-SO	NW	1	•	
288	CX	(♂)	2,94×0,70 unten	1,57	NW-SO	NW	1	•	
289	CXI	(♀)	2,92×0,58 unten	1,52	NO-SW	NNO	1	•	
290	CXII Best. 1	(♀)		1,55	W-O	W	1	•	
291	CXII Best. 2	(♀)	2,42×0,75 unten	1,55	NNW-SSO	NNW	1	• Hinterfuß von Schaf bei Schädel	Hirse
292	CXIII Best. 1	♂	2,35×0,60 unten	1,55		NW	1		
293	CXIII Best. 2	Kind 16 J. (♀?)	2,48×0,75	0,96		NO	1	•	
294	CXIV	♂ adult	2,33×1,00 unten	1,34		N	1	• ?	
295	CXV	Kind 4 J.	1,30×0,70 unten	0,83		N	1		
296	CXVI	(♂)	3,38×0,70 unten	1,96		NW	1		
297	CXVII	(Kind)	2,00×0,74 unten	0,98		NW	1	•	
298	CXVIII	♀ matur	2,32×0,82 unten	0,83			1		
299	CXIX	♀ matur	1,60×0,75 unten	0,60	NO-SW	NO	1	• Hinterfuß v. Schaf bei Schädel	
300	CXX	♂ adult	2,60×0,83 unten	1,85	SW-NO	SW	1	•	
301	CXXI	(♂ adult?)	2,20×0,65 unten	0,90	NNW-SSO	NNW	1	•	
302	CXXII Best. 1	(♂)		1,65	NNO-SSW	NNO	1	• und 3 Rippen von Schaf bei Schädel	Hirse
303	CXXII Best. 2	(♀?)		1,65	NNO-SSW	NNO	1	•	
304	CXXIII	♂ adult	2,46×0,60 unten	1,03		NW	1	•	Hirse
305	CXXIV	♂ adult	2,89×0,88 unten	1,64		NW	1	•	Hirse
306	CXXV	♂ adult	2,49×0,65 unten	1,26		SW	1	•	Hirse
307	CXXVI	(♂)	3,00×0,60 unten	2,30	NW-SO	NW	1	•	
308	CXXVII	♀ adult	3,10×0,85 unten	2,13	WNW-OSO	WNW	1	•	
309	CXXVIII Best. 1	Kind 6–7 J.		1,45		SW	1	•	
310	CXXVIII Best. 2	♀ matur	3,50×0,90 unten	1,45		NW	1	•	
311	CXXIX	♂ adult	2,21×0,65 unten	0,67		NW	1	1 Schulterblatt und 5 Rippen v. Schaf bei rechtem Fuß	
312	CXXX Doppelbest.	♀ matur / Kind bis 6 Mte	2,05×0,53 unten	1,00		N / N	2	•	
313	CXXXI	♂ matur	3,06×0,92 unten	1,65		SW	1	•	

Lfd. Nr.	Grab Nr.	Geschlecht u. Alter	Ausmaße d. Grabgrube in m	Tiefe d. Grabgrube in m	Ausrichtung der Grabgrube	Ausrichtung d. Bestatt.	Anzahl d. Bestatteten	Tiere	Pflanzen
314	CXXXIII	♂ matur	3,00×0,68 unten	1,30	NW-SO	NW	1	●	Hirse
315	CXXXIV	(♀)	2,10×0,55 unten	1,35		NW	1	●	Hirse
316	CXXXV		2,32×0,60 unten	1,42		W	1	●	
317	CXXXVI	♂ adult	2,75×0,72 unten	1,95		NW	1	●	Hirse
318	CXXXVII Doppelbest.	Kind 6—7 J. / Kind 6—7 J.	1,30×0,73 unten	1,01	SW-NO	NW	2		
319	CXXXVIII	♂ matur	2,81×0,70 unten	0,70—0,75		SW	1	●	
320	CXXXIX	(Kind)	1,74×0,62 unten	0,80	SW-NO	SW	1	●	
321	CXL Best. 1	(♂)		0,80	NW-SO	NW	1	● und Schädel v. Schaf bei rechtem Bein	
322	CXL Best. 2			0,80	N-S	N	1	●	
323	CXLI Best. 1	(♂)		0,80	N-S	N	1	Hinterfuß von Schaf bei Schädel	Hirse
324	CXLI Best. 2	(♂)			N-S	N	1	●	
Großkurgan 39									
325	I Best. 1	(Kind 5—7 J.)		1,40		NW	1	●	
326	I Best. 2	♂ adult		0,65		NW	1	●	
327	II Best. A	Kind 4 J.	0,95×0,50 unten	1,85	NW-SO	NW	1		
328	II Best. B	♂ adult	2,92×0,92 unten		NW-SO	NW	1	●● und 1 Schafschädel bei Beinen, ein zweiter außerhalb des Grabes	
329	III	♀ adult	2,25×0,85	1,30		NW	1		Hirse
330	IV	(Kind)	2,20×0,65	0,80		NW	1		
331	V	♂ adult	2,80×0,85 unten	1,35		W	1		
332	VI Doppelbest.	♀ adult / Kind	2,20×0,70		NW-SO	N	2	●● und 1 Hinterfuß v. Schaf bei Schädel der Frau	
333	VII Best. 1	♀ adult		1,60	NW-SO	NW	1	Hinterfuß von Schaf bei rechtem Schulterblatt	
334	VII Best. 2	Kind 11—12 J.	2,84×1,05	1,60	NW-SO	NW	1	●	
335	VIII	♂ adult		0,50	SW-NO	SW	1	●	
336	IX	♂ matur	2,40×0,76	1,20	NW-SO	NW	1	●	

Lfd. Nr.	Grab Nr.	Geschlecht u. Alter	Ausmaße d. Grabgrube in m	Tiefe d. Grabgrube in m	Ausrichtung der Grabgrube	Ausrichtung d. Bestatt.	Anzahl d. Bestatteten	Tiere	Pflanzen
337	X	(Kind 15—16 J.)	2,10×0,75	0,65	NW-SO	NW	1		
338	XI	Kind 8—9 J.	1,40×0,66 unten	0,55	NO-SW	NO	1		
339	XII	σ senil	1,92×0,70	0,90	NW-SO	NW	1		
340	XIII	(♀)	2,48×0,71	1,90	NW-SO	NW	1	•?	
341	XIV	♀ matur	2,30×0,87	1,20	NW-SO	NW	1	•	
342	XV	σ matur	3,07×0,80	1,60	NW-SO	NW	1	•	
343	XVI	♀ (σ)	2,60×0,77	1,15	NW-SO	NW	1	•	
344	XVII		2,70×0,82	1,40	SO-NW	SO	1		
345	XVIII Best. 1	Kind 1—2 J.		0,65	N-S	W	1	•	
346	XVIII Best. 2	Kind 16—18 J.		0,80	N-S	NW	1		
347	XIX	σ matur	2,60×0,70	1,75	NW-SO	NW	1	•	
348	XX	σ matur	2,44×0,85	1,45	NW-SO	NW	1	•	
349	XXI	Kind 5—6 J.	2,30×0,70	1,70	NW-SO	W	1	•	
350	XXII	Kind 11—12 J.	2,25×0,70	1,10	W-O	NO	1		Hirse
351	XXIII	σ adult	2,60×0,80	1,30	NO-SW	NW	1	•	
352	XXIV Doppelbest.	♀ matur	2,34×0,70	1,00	NW-SO	NW	2	•	
353	XXV Doppelbest.	♀ matur / Kind 1—1½ J.	2,90×0,70	1,60	NW-SO	NW / NW	2	•	
354	XXVI	Kind 7—8 J.	2,00×0,65	1,05	NW-SO	NW	1	•	
355	XXVII	Kind 3—4 J.	1,30×0,55	0,60	W-O	W	1		
356	XXVIII	σ matur	2,70×0,75	1,80	NW-SO	NW	1	• und 2 Schaf und 1 Pferdeschädel bei Beinen	
357	XXIX Best. V		2,50×1,00	1,30— / 1,45	N-S	N	1	•	
358	XXIX Best. B			1,25	N-S	N	1		
359	XXIX Best. A	(σ)		1,30	NW-SO	NW	1		
360	XXX	Kind 7—8 J.	1,85×0,70	0,80	NW-SO	NW	1	Schädel und Hinterfuß einer Ziege bei Beinen, 1 Röhrenknochen (Ziege?) bei linker Handfläche	
361	XXXI Best. 1	σ (♀)		1,80	N-S	N	1		
362	XXXI Best. 2	Kind 6—7 J.			N-S	N	1	•	
363	XXXII	♀ matur	2,30×0,75	0,70	NW-SO	NW	1	Unterkiefer v. Schaf bei Schädel	

Lfd. Nr.	Grab Nr.	Geschlecht u. Alter	Ausmaße d. Grabgrube in m	Tiefe d. Grabgrube in m	Ausrichtung der Grabgrube	Ausrichtung d. Bestatt.	Anzahl d. Bestatteten	Tiere	Pflanzen
364	XXXIII	♂ matur	2,70×0,90	3,30	NO-SW	NO	1	●?	
365	XXXIV	♂ adult	2,50×0,80	1,50	SW-NO	SW	1	●	
366	XXXV	♂ matur	2,40×0,70	1,40	NO-SW	NO	1	●	
367	XXXVI	(♀)		1,00	WNW-OSO	WNW	1	●	
368	XXXVII	♀ adult	2,65×0,80	1,55	NW-SO	NW	1	●	
369	XXXVIII Best. A	♀		1,35—1,45	NW-SO	NW	1	●	
370	XXXVIII Best. B	♀		1,35	NW-SO	NW	1	●?	
371	XXXIX	♂ senil	2,40×0,82	0,85	NW-SO	NW	1	●	
372	XL	♂ matur	2,85×0,85	1,60	N-S	N	1	●	
373	XLI	♂ matur	2,85×0,75	1,80	NW-SO	NW	1	●	
374	XLII	♀ (♂) matur	2,50×0,75	2,00	WSW-ONO	WSW	1	●	
375	XLIII	♂ matur	2,80×0,95	1,45	N-S		1	●	
376	XLIV	♂ matur	2,30×0,80	1,55	SW-NO	SW	1	●	
377	XLV		2,85×0,85	2,40	W-O		1	●	
378	XLVI	♂ matur	2,75×1,10	1,25	SW-NO	SW	1	●	

Großkurgan 37

Lfd. Nr.	Grab Nr.	Geschlecht u. Alter	Ausmaße d. Grabgrube in m	Tiefe d. Grabgrube in m	Ausrichtung der Grabgrube	Ausrichtung d. Bestatt.	Anzahl d. Bestatteten	Tiere	Pflanzen
379	I	(♀)	2,50×0,80 unten	1,65	NW-SO	NW	1	●● und Schafschädel bei Beinen	Hirse
380	II			1,15	NW-SO	NW	1		Hirse
381	III	♂ senil	2,70×0,80 unten	1,40	NW-SO	NW	1	●	
382	IV	(Kind 2—4 J.)	2,90×0,80	1,50	NW-SO	NW	1	●	
383	V	♀ matur	1,68×0,52	1,00	N-S	N	1		
384	VI	(Kind)	2,20×0,55	1,30	NW-SO	NW	1	●	Hirse
385	VII		1,68×0,65 / 2,60×0,90 oben	2,05	NW-SO	NW	1	●	
386	VIII	♂ adult	2,55×1,20 unten / 2,70×0,75	1,50	NW-SO	NW	1	●● und Schafschädel bei Beinen	
387	IX	♂ matur		1,25	NW-SO	NW	1	●	
388	X	Kind 14—15 J. (♀)	2,65×0,75	1,40	W-O	W	1	●	Hirse
389	XI Best. 1	Kind 3—4 J.			NW-SO	NW	1	●	
390	XI Best. 2	♀ adult		0,95—	NO-SW	NO	1		
391	XI Best. 3	Kind 1½—2 J.		1,00	NO-SW	NO	1	●	

Lfd. Nr.	Grab Nr.	Geschlecht u. Alter	Ausmaße d. Grabgrube in m	Tiefe d. Grabgrube in m	Ausrichtung der Grabgrube	Ausrichtung d. Bestatt.	Anzahl d. Bestatteten	Tiere	Pflanzen
392	XII		2,40×0,60	1,55	NO-SW	disloziert	1	●?	
393	XIII	♂ adult	3,20×0,80	2,00	NW-SO	NW	1	●?	
394	XIV	♀ (♂) adult	2,65×0,60	1,55	NW-SO	NW	1	●	
395	XV	(Kind 3—4 J.)	1,60×0,60	1,30	NW-SO	NW	1	●	
396	XVI Best. 1	♂ matur senil			W-O	W	1	1	
397	XVI Best. 2	♀		1,50		NW-SO	NW	●	
398	XVII	Kind 8—9 J.	2,00×0,60	1,15	NO-SW	NO	1	●	
399	XVIII	♀ adult	2,40×0,65	1,40	NW-SO	NW	1	●	Hirse
400	XIX	♂ matur	2,45×0,85	0,55	N-S	N	1	● und Schulterblatt v. Schaf bei linker Schulter	
401	XX	♂ adult	2,20×0,75 unten	1,10—1,85	NW-SO	NW	1	●	
402	XXI	♂ matur		0,40	NO-SW	NO	1		
403	XXI A					disloziert	1		
404	XXII Dreifachbest.	Kind 2½—3 J. / Kind 4—5 J. / Kind 9—10 J.	1,40×0,90	0,90	NW-SO	NW / NW / NW	3	●	
405	XXIII Best. A	♂		2,95—3,15	NW-SO	NW	1	●	
406	XXIII Best. B	♂		3,00—3,20	NW-SO	NW	1	●	
407	XXIV	♀ matur	2,80×0,75	1,20	N-S	N	1		
408	XXV	(Kind)		1,30	WNW-OSO	WNW	1		
409	XXVI Best. 1	♂ matur	1,87×0,75	1,50	NW-SO	NW	1	●	Hirse
410	XXVI Best. 2	Kind 2—3 J.					1	1 Schulterblatt und 1 Knochen v. Schaf in Grab	
411	XXVII	♂ matur		1,30	NW	NW	1	● Hinterfuß von Schaf bei linkem Arm	Hirse
412	XXVIII	♂ matur	3,00×0,85	1,30	NO-SW	NO	1	●	
413	XXIX	♂ matur	3,15×1,20	3,00	NNW-SSO	NNW	1	● und Schafschädel bei Beinen	Hirse
414	XXX	♀ adult		0,90	W-O	W	1	●?	
415	XXXI	♀ (♂) adult	2,90×0,70	1,40	W-O	W	1	●	

Lfd. Nr.	Grab Nr.	Geschlecht u. Alter	Ausmaße d. Grabgrube in m	Tiefe d. Grabgrube in m	Ausrichtung der Grabgrube	Ausrichtung d. Bestatt.	Anzahl d. Bestatteten	Tiere	Pflanzen
416	XXXII	♀ adult	2,25×0,70	1,70	WSW-ONO	WSW	1	●?	Hirse
417	XXXIII Best. A	♂ (♀) adult		1,25	NO-SW	NO	1	●●	
418	XXXIII Best. B	♂ adult	2,82×0,90	1,60—2,00	NW-SO	NW	1	●	
Kurgan 176									
419		♂ matur		0,95	NW-SO	NW	1		
Kurgan 175									
420	A	(♀?)			NW-SO	NW	1	Hinterfuß von Schaf bei linker Schulter	
421	B Doppelbestatt.	zwei Individuen			NW-SO	NW SO	2	●? und Schafschädel zwischen verstreuten Knochen	
Kurgan 107									
422		Kind 16—17 J.		1,25—1,36	NW-SO	NW	1	● und 4 Rippen v. Schaf bei Schädel	
Kurgan 173									
423	A	♀ matur		1,10—1,25	NW-SO	NW	1	●●	
424	B	♀ adult		1,40	N-S	N	1		
Kurgan 102									
425	A			1,30—1,40	NW-SO	NW	1	● und Schafschädel bei rechtem Unterschenkel	
426	B			1,60—1,80		dislo-ziert	1	●?	

Lfd. Nr.	Grab Nr.	Geschlecht u. Alter	Ausmaße d. Grabgrube in m	Tiefe d. Grabgrube in m	Ausrichtung der Grabgrube	Ausrichtung d. Bestatt.	Anzahl d. Bestatteten	Tiere	Pflanzen
Kurgan 177									
427		♂ matur		0,65—0,70	NW-SO	W	1	●	
Kurgan 174									
428	Best. 1	♂ matur		1,60—1,75	NW-SO	NW	1	● und Schafschädel bei linkem Bein	
429	Best. 2	♂ matur		1,60—1,75	NW-SO	NW	1	● und Schafschädel bei Beinen	
Kurgan 140									
430	I	Kind 11–12 J.		0,95—1,00	NW-SO	NW	1	●	
431	II	Kind 18–19 J.		1,75—2,00	NW-SO	NW	1	● und Schafschädel am Fußende	
Kurgan 133									
432		♂ adult		1,50—2,00	NW-SO	NW	1	● und Schafschädel am Fußende	
Kurgan 135									
433	I Doppelbest.	♀ adult / Kind		0,87	NW-SO	NW / NW	2	●	
434	II	♂ senil		0,98—1,00	NW-SO	NW	1	Schafschädel am Kopfende	
Kurgan 99									
435				1,95—2,20	NW-SO	NW	1	● und Schafschädel bei Kreuz	Hirse

Lfd. Nr.	Grab Nr.	Geschlecht u. Alter	Ausmaße d. Grabgrube in m	Tiefe d. Grabgrube in m	Ausrichtung der Grabgrube	Ausrichtung d. Bestatt.	Anzahl d. Bestatteten	Tiere	Pflanzen
Kurgan 100									
436	I (Kiste)	Kind ½—1 J.		0,30	N-S	N	1		
437	II (Kiste)	Kind 1—1½ J.		0,30	NW-SO	NW	1		
Kurgan 178									
438		♀ senil		1,30—1,40	NW-SO	NW	1		
Kurgan 3									
439		(♀)		1,30—1,60			1		
Kurgan 143									
440		♀ 17—18 J.		1,25—1,50	NW-SO	NW	1	●	
Kurgan 145									
441		♂ matur		1,40—1,70	NW-SO	NW	1	●	
Kurgan 108									
442		Kenotaph							
Kurgan 12									
443	I	♂ adult		1,40	NW-SO	NW	1	Hinterfuß v. Schaf bei linkem Arm	
444	II	♂ matur		1,40	SW-NO	SW	1	Fettschwanz von Schaf am Kopfende	
445	III	♀ (♂) adult		1,50	SW-NO	SW	1	●	
446	IV	♂ matur		1,45	SW-NO	SW	1	Fettschwanz v. Schaf bei linkem Oberschenkel	Hirse

Liste 2

Zusammensetzung der Grabinventare

Die Liste umfaßt sämtliche 475 Bestatteten und die Kenotaphe. Doppel- und Dreifachbestattungen erscheinen unter jeweils einer laufenden Nummer. Die Liste wurde in der Reihenfolge der Veröffentlichungen im Expeditionsbericht angelegt.

Sie enthält

Großkurgane

8 (lfd. Nr. 17—41), 11 (152—324), 26 (80—135), 37 (379—418), 39 (325—378).

Kleinere und Einzelkurgane

3 (lfd. Nr. 439), 4 (1—6), 7 (7—16), 9 (42), 12 (443—446), 25 (136), 28 (43), 32 (44—46), 33 (47—49), 34 (50—55), 40 (137), 41 (138—140), 52 (56), 53 (57—58), 55 (59), 56 (60—61), 57 (62), 59 (63), 60 (64), 64 (65—66), 65 (67—77), 67 (78), 68 (79), 69 (141—142), 99 (435), 100 (436—437), 102 (425—426), 107 (422), 108 (442), 124 (144—145), 133 (432), 135 (433—434), 140 (430—431), 143 (440), 145 (146—149, 441), 173 (423—424), 174 (428—429), 175 (420—421), 176 (419), 177 (427), 178 (438).

Flachgräber

76 (lfd. Nr. 143), 170 (150), 171 (151).

Geschlechtsbezeichnung ohne Klammer bedeutet, daß anthropologische Bestimmung vorliegt (Trudy TKAÈÈ 3, 1970, 240ff.) bzw. sie mit der archäologischen übereinstimmt. Geschlechtsbezeichnung in Klammern bedeutet, daß nur archäologische Bestimmung vorliegt oder die in Klammern gesetzte archäologische Bestimmung von der anthropologischen abweicht.

Alle im Expeditionsbericht abgebildeten Gegenstände sind — mit fünf Ausnahmen — im Abbildungsteil enthalten.

In der Liste werden die abgebildeten Gegenstände mit gefüllten, die nicht abgebildeten mit offenen Kreisen gekennzeichnet. Ausgenommen davon ist die Rubrik „Sonstiges", wo das Fehlen des Symbols besagt, daß der betreffende Gegenstand nicht abgebildet ist.

Bei der *Keramik* wird außerdem folgendermaßen differenziert: kesselförmig (Typ 1—4), vasenförmig (Typ 5—6), Übergang von vasen- zu topfförmig (Typ 7), topfförmig (Typ 8—11) und unbestimmter Typ.

Bei den *Pfeilspitzen* bezeichnen die beigefügten Zahlen die Stückzahl. Falls nur ein Teil der Pfeilspitzen abgebildet, bezeichnet die Zahl ohne Klammer die Gesamtzahl, jene in Klammer die Zahl der abgebildeten Stücke, z. B. ● 5 (3). Ist die Gesamtzahl der Pfeilspitzen aus dem Text nicht ersichtlich, bezeichnet die Zahl in Klammern die Zahl der abgebildeten Stücke; das darauffolgende Fragezeichen besagt, daß die Gesamtzahl der Pfeilspitzen nicht feststellbar ist, z. B. ● (3)?. Ein Fragezeichen allein bedeutet, daß die Anzahl der Pfeilspitzen anhand des Textes nicht feststellbar und keines der Stücke abgebildet ist, z. B. ○?. Auch Pfeilspitzen, die nicht als Grabbeigabe gedacht waren, sondern die Todesursache bilden, wurden in die Liste aufgenommen.

Gelegentlich im Text erwähnte *Pfeilschäfte* und hölzerne *Messerscheiden* werden nicht berücksichtigt.

Messer und *Miniaturmesser* werden nur dann den *Frauengarnituren* zugeordnet, wenn es sich der Fundlage nach einwandfrei um Teile der Garnitur handelt.

Bei nicht abgebildeten *Schnallen* kann im Einzelfall nicht entschieden werden, ob es sich tatsächlich um Schnallen oder um Teile der Gürtelgarnituren handelt, da die Verfasser für beides dieselbe Bezeichnung verwenden.

Im Grabungsbericht gelegentlich als unsicher geltende Bestimmungen werden — mit Ausnahme der *Trensengebisse* — als gesichert eingetragen.

In einigen wenigen Fällen (Messer, Schnallen), in denen im Grabungsbericht mehr als ein Stück ohne genaue Zahlenangabe erwähnt werden, wurden zwei Stück eingetragen.

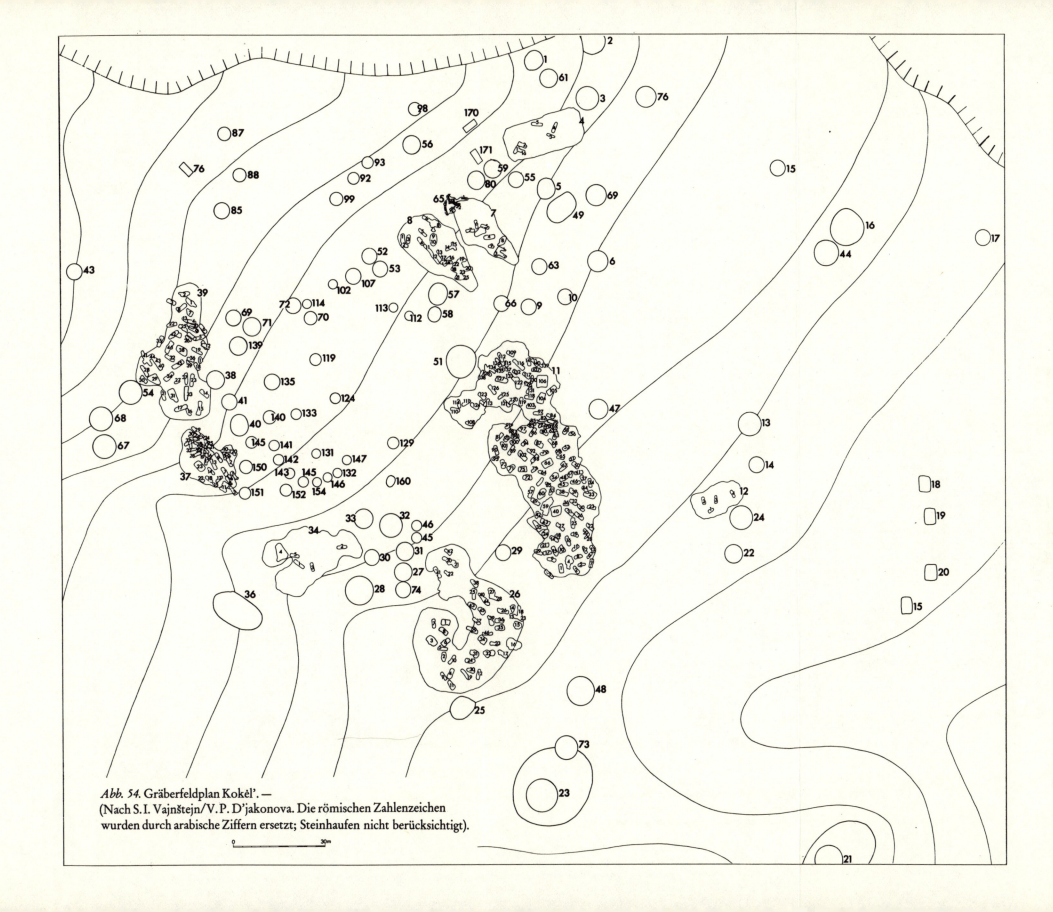

Abb. 54. Gräberfeldplan Kokěl'. —
(Nach S. I. Vajnštejn/V. P. D'jakonova. Die römischen Zahlenzeichen
wurden durch arabische Ziffern ersetzt; Steinhaufen nicht berücksichtigt).

0   30m

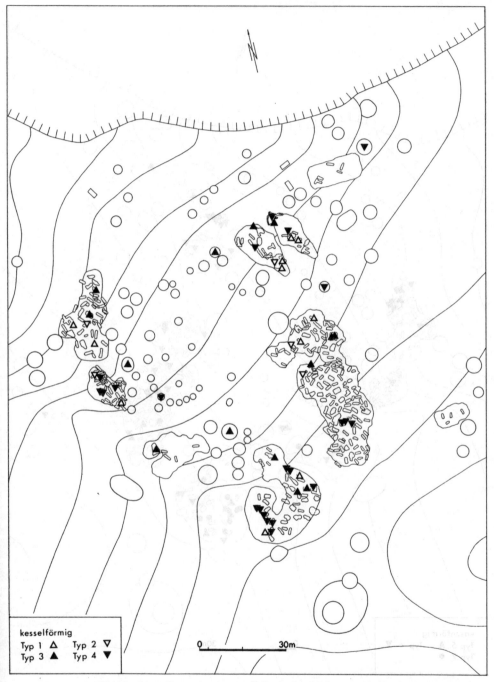

kesselförmig
Typ 1 △   Typ 2 ▽
Typ 3 ▲   Typ 4 ▼

0   30m

Abb. 55a. Verteilung der Keramik (nur abgebildete Exemplare).

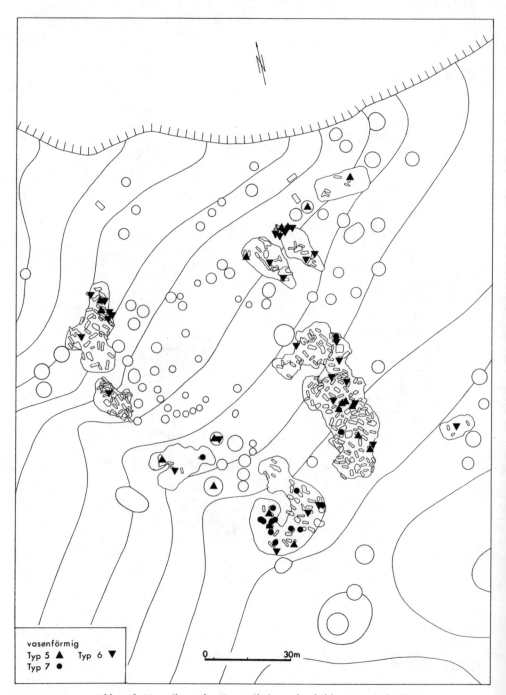

Abb. 55b. Verteilung der Keramik (nur abgebildete Exemplare).

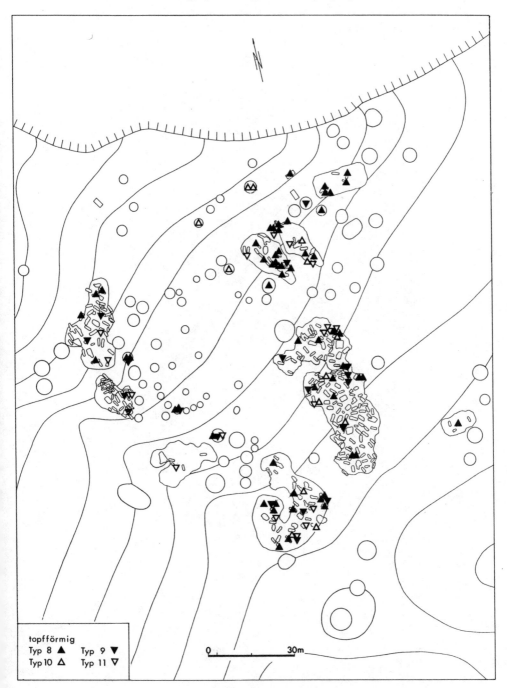

topfförmig
Typ 8 ▲ Typ 9 ▼
Typ 10 △ Typ 11 ▽

0   30m

Abb. 55c. Verteilung der Keramik (nur abgebildete Exemplare).

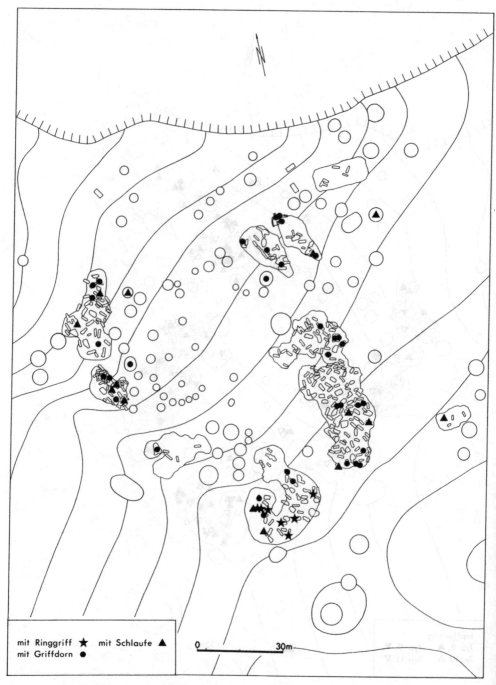

mit Ringgriff ★ mit Schlaufe ▲
mit Griffdorn ●

0   30m

Abb. 56. Verteilung der Messer (nur abgebildete Exemplare).

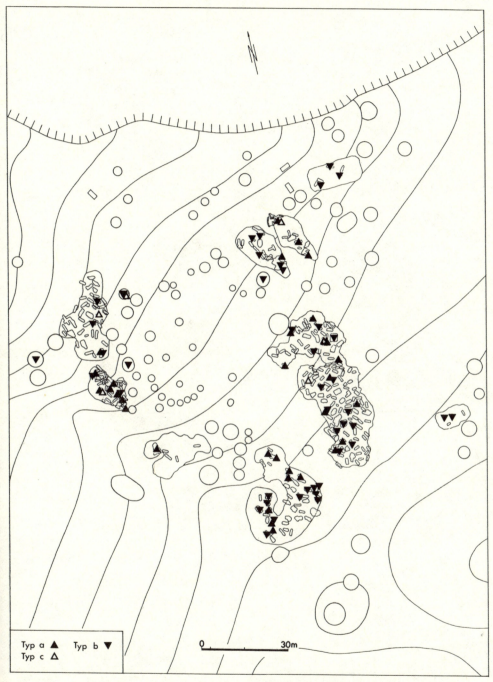

Typ a ▲ Typ b ▼
Typ c △

0 _____ 30m

Abb. 57a. Verteilung der Pfeilspitzen (nur abgebildete Exemplare). Eine Signatur entspricht einem oder mehreren Stücken.

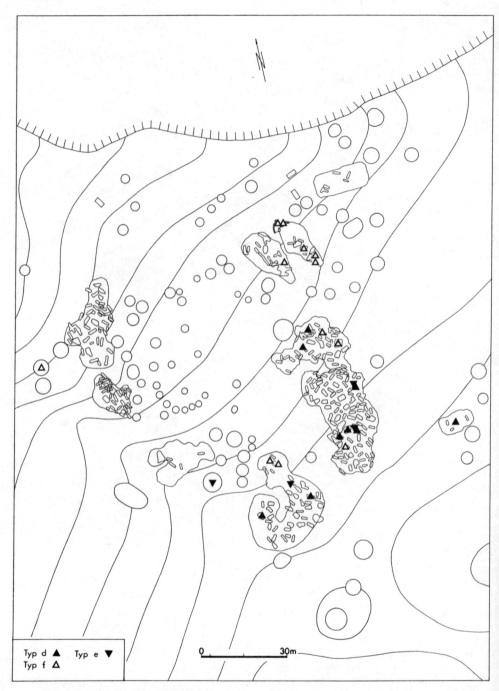

Abb. 57b. Verteilung der Pfeilspitzen (nur abgebildete Exemplare). Eine Signatur entspricht einem oder mehreren Stücken.

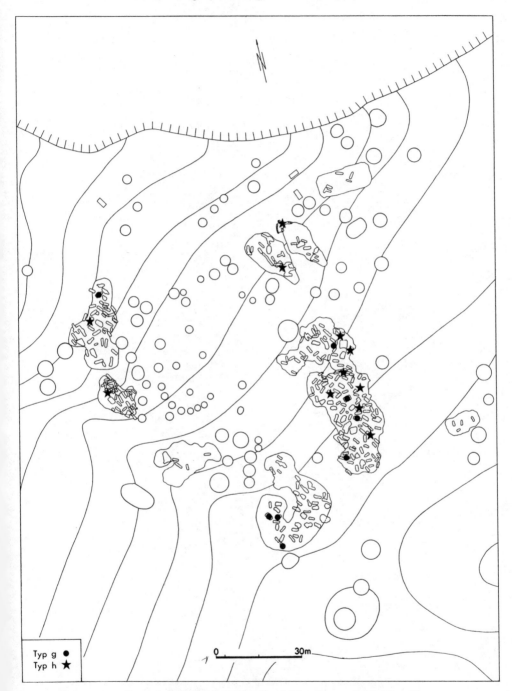

Abb. 57c. Verteilung der Pfeilspitzen (nur abgebildete Exemplare). Eine Signatur entspricht einem oder mehreren Stücken.

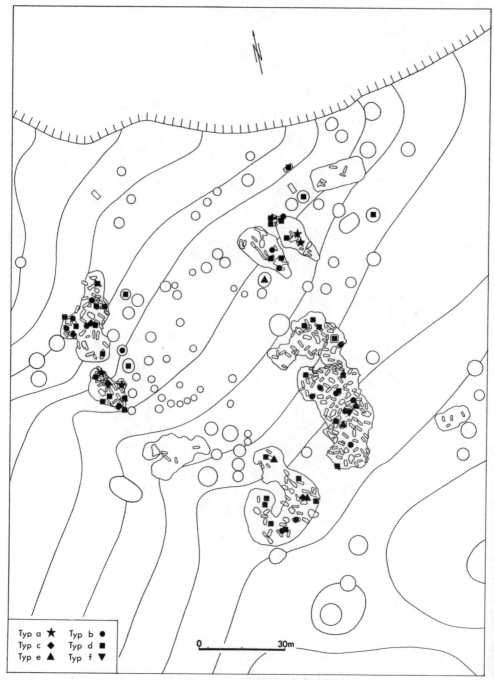

Abb. 58. Verteilung der Schnallen (nur abgebildete Exemplare). Eine Signatur entspricht einem oder mehreren Stücken.

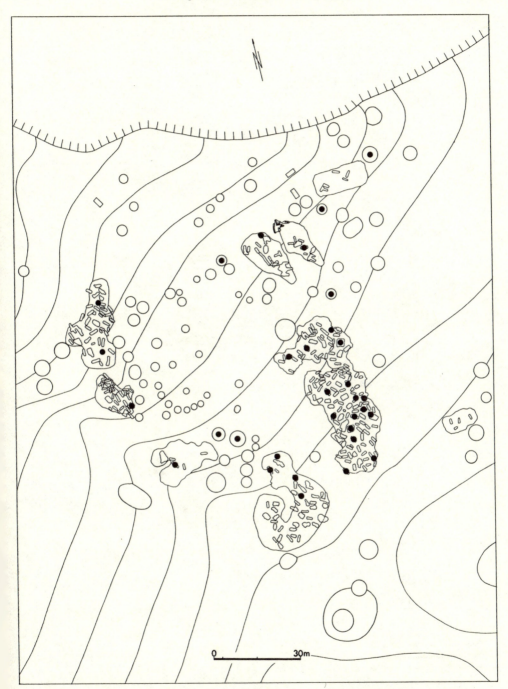

Abb. 59. Verteilung der Holzfäßchen (abgebildete und nicht abgebildete Exemplare).

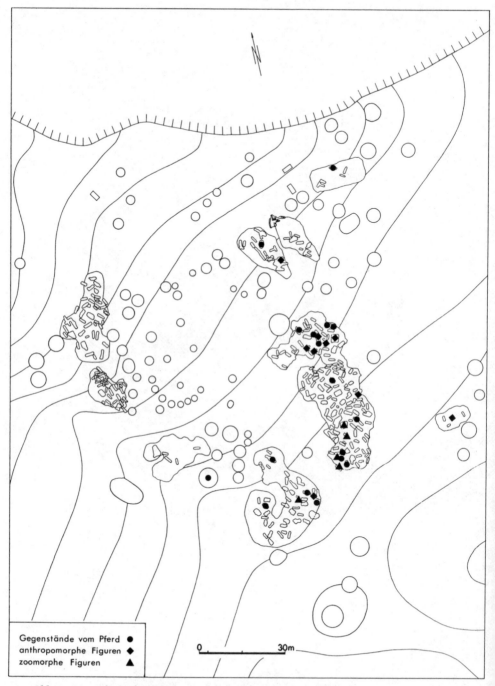

Abb. 60. Verteilung der Gegenstände von Pferd, anthropomorphen und zoomorphen
Figuren (abgebildete und nicht abgebildete Exemplare).

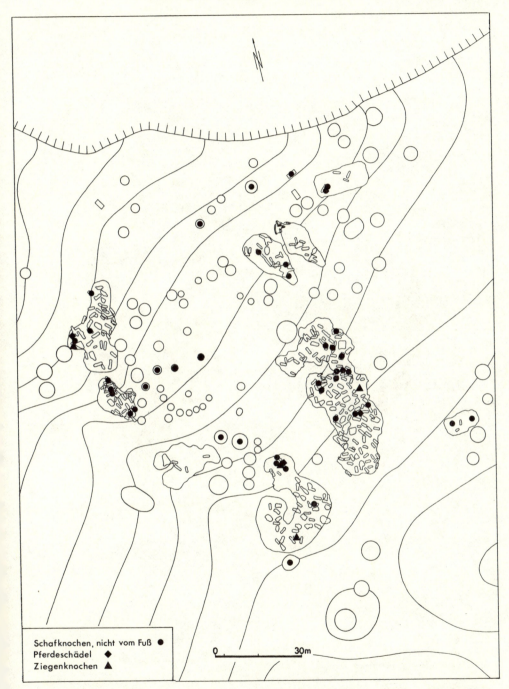

Schafknochen, nicht vom Fuß ●
Pferdeschädel ◆
Ziegenknochen ▲

0 _____ 30m

Abb. 61. Verteilung der Schafknochen — nicht vom Hinterfuß bzw. Fuß —, Pferdeschädel und Ziegenknochen.

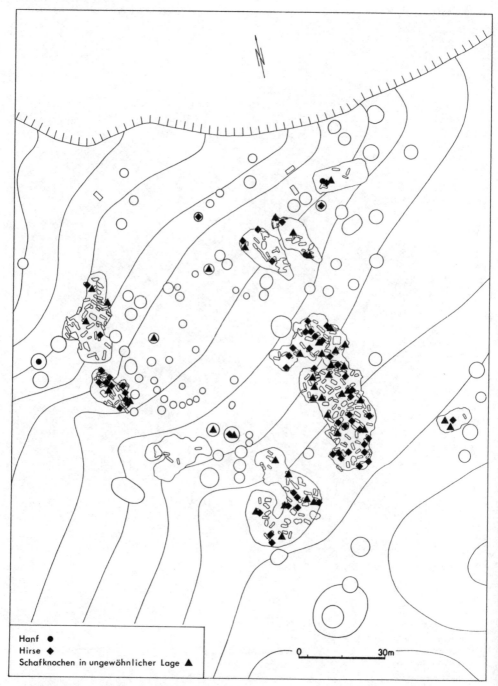

Abb. 62. Verteilung von Hanf und Hirse sowie von Schafknochen in ungewöhnlicher Lage.

Konkordanzliste
(laufende Grabnummer zum Originaltext im Grabungsbericht)

Lfd. Nr.				
1	Band 2,186		35	2,216
2	2,186—188		36	2,216—217
3	2,188		37	2,217
4	2,188		38	2,217
5	2,188		39	2,218
6	2,188		40	2,218
7	2,189—190		41	2,219
8	2,190—191		42	2,219
9	2,191		43	2,219—222
10	2,191		44	2,222
11	2,191—193		45	2,222—225
12	2,194		46	2,225
13	2,194		47	2,227
14	2,194—195		48	2,227
15	2,195		49	2,227
16	2,195		50	2,229
17	2,195—196		51	2,229—230
18	2,196—197		52	2,230
19	2,197—198		53	2,230
20	2,198—200		54	2,230
21	2,200—202		55	2,231
22	2,202—205		56	2,231—232
23	2,205		57	2,232
24	2,205—206		58	2,233
25	2,206		59	2,233—235
26	2,206—211		60	2,235
27	2,211		61	2,235
28	2,211		62	2,236—238
29	2,211		63	2,238
30	2,211		64	2,238—240
31	2,211—214		65	2,240—242
32	2,214—215		66	2,242—243
33	2,215—216		67	2,244
34	2,216		68	2,244—247

69	2,247		109	3,34
70	2,247		110	3,35—36
71	2,247		111	3,36—37
72	2,247		112	3,37
73	2,247—248		113	3,38
74	2,248—249		114	3,38
75	2,249		115	3,38
76	2,249		116	3,38—40
77	2,249		117	3,40
78	2,249—250		118	3,40—42
78a	2,250		119	3,42
79	2,250—252		120	3,42
80	3,9		121	3,42—43
81	3,9—11		122	3,43
82	3,9—11		123	3,43—45
83	3,11		124	3,45
84	3,12—13		125	3,45—46
85	3,13		126	3,46—47
86	3,13		127	3,47—48
87	3,13		128	3,48—51
88	3,14		129	3,51—53
89	3,14—15		130	3,53
90	3,15—16		131	3,53—54
91	3,16		132	3,54
92	3,16—17		133	3,54—55
93	3,17		134	3,55
94	3,17—18		135	3,55
95	3,18		136	3,55—58
96	3,18—20		137	3,58—61
97	3,18—20		138	3,61
98	3,20—21		139	3,61
99	3,21—23		140	3,61
100	3,23—25		141	3,63
101	3,25		142	3,63
102	3,25		143	3,63—65
103	3,27		144	3,65—66
104	3,27—28		145	3,65—66
105	3,28—31		146	3,66—70
106	3,31		147	3,66—70
107	3,31—34		148	3,66—70
108	3,34		149	3,66—70

150	3,70—71		191	3,105
151	3,71		192	3,105
152	3,84—85		193	3,105
153	3,85		194	3,105—106
154	3,85—88		195	3,106
155	3,88		196	3,106—107
156	3,88		197	3,107—108
157	3,88		198	3,108—109
158	3,88—89		199	3,109—110
159	3,89—90		200	3,110—111
160	3,91		201	3,111
161	3,91		202	3,111
162	3,91—93		203	3,111
163	3,93		204	3,111
164	3,93		205	3,111
165	3,93—94		206	3,111—113
166	3,94—95		207	3,113
167	3,95—96		208	3,114
168	3,96		209	3,114
169	3,96		210	3,114—115
170	3,96		211	3,115
171	3,96		212	3,116
172	3,96—97		213	3,116
173	3,97		214	3,117
174	3,97		215	3,117
175	3,97		216	3,117—118
176	3,97—98		217	3,118
177	3,98		218	3,118
178	3,98—99		219	3,118—119
179	3,99—100		220	3,119
180	3,100		221	3,120
181	3,100		222	3,120
182	3,100		223	3,120
183	3,100—101		224	3,120—121
184	3,101		225	3,121
185	3,102		226	3,121
186	3,102		227	3,121—122
187	3,102—103		228	3,122
188	3,103		229	3,122
189	3,103—105		230	3,122
190	3,105		231	3,122

232	3,122		273	3,136—137
233	3,123		274	3,137
234	3,123—124		275	3,138
235	3,124		276	3,138
236	3,124		277	3,138
237	3,124—125		278	3,138
238	3,125		279	3,138—139
239	3,125		280	3,139—140
240	3,126		281	3,140—141
241	3,126—127		282	3,141
242	3,127		283	3,141
243	3,127		284	3,141
244	3,127		285	3,141
245	3,127		286	3,141
246	3,127		287	3,141
247	3,127—128		288	3,141—143
248	3,128		289	3,143
249	3,128		290	3,143
250	3,128		291	3,143
251	3,128—129		292	3,143
252	3,129		293	3,143—145
253	3,129—130		294	3,145
254	3,131		295	3,145
255	3,131		296	3,145
256	3,131		297	3,145
257	3,131		298	3,145
258	3,131		299	3,145
259	3,131—132		300	3,145—146
260	3,132		301	3,146
261	3,132—133		302	3,146—147
262	3,133		303	3,147
263	3,133—134		304	3,147
264	3,134		305	3,147
265	3,134		306	3,147
266	3,134		307	3,147
267	3,135		308	3,147—149
268	3,136		309	3,149
269	3,136		310	3,149—150
270	3,136		311	3,150
271	3,136		312	3,150
272	3,136		313	3,150—151

314	3,152		355	3,167
315	3,152		356	3,167
316	3,152		357	3,168
317	3,152		358	3,168
318	3,152		359	3,168
319	3,152—153		360	3,168
320	3,155		361	3,169
321	3,155		362	3,170
322	3,155—156		363	3,170
323	3,156		364	3,170—171
324	3,156		365	3,171—172
325	3,157		366	3,172
326	3,157—158		367	3,172—173
327	3,158		368	3,173
328	3,158		369	3,174
329	3,158		370	3,174
330	3,158		371	3,174
331	3,158—159		372	3,174—175
332	3,159		373	3,176—177
333	3,159—160		374	3,177
334	3,160		375	3,175
335	3,160—161		376	3,175—176
336	3,161		377	3,177—178
337	3,161		378	3,178
338	3,161		379	3,179—180
339	3,161		380	3,180
340	3,161—163		381	3,180
341	3,163—164		382	3,180
342	3,164		383	3,180
343	3,164		384	3,180
344	3,164		385	3,181
345	3,164		386	3,181
346	3,164		387	3,181
347	3,164		388	3,181
348	3,164		389	3,181
349	3,165		390	3,182
350	3,165		391	3,182
351	3,165—166		392	3,182
352	3,166		393	3,183
353	3,166—167		394	3,183
354	3,167		395	3,183

396	3,183		422	3,211—213
397	3,183		423	3,213—214
398	3,183		424	3,214—215
399	3,183—184		425	3,215
400	3,184		426	3,216
401	3,184		427	3,216
402	3,184		428	3,217—218
403	3,186		429	3,218
404	3,186		430	3,218—220
405	3,186—187		431	3,220
406	3,187		432	3,220—221
407	3,187—188		433	3,221
408	3,188		434	3,221—222
409	3,189		435	3,222—223
410	3,188—189		436	3,223
411	3,189		437	3,223
412	3,189		438	3,225
413	3,189—190		439	3,225—226
414	3,190—191		440	3,226—227
415	3,191		441	3,227—228
416	3,191		442	3,228—229
417	3,192		443	3,231
418	3,192		444	3,232
419	3,210		445	3,232—233
420	3,211		446	3,233—234
421	3,211